Con las manos en alto

GERMÁN CASTRO CAYCEDO

Con las manos en alto

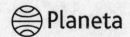

© Germán Castro Caycedo, 2001
© Editorial Planeta Colombiana S. A., 2001
Calle 21 N° 69-53, Bogotá, D. C.

www.editorialplaneta.com.co
www.editorialplaneta.com.ve
www.editorialplaneta.com.ec

Primera edición: octubre de 2001

ISBN: 958-42-0222-7

Impreso por: Quebecor World Bogotá S.A.

Impreso en Colombia

A Alejandro, Griselda y Santiago,
amigos para no olvidar.

Presentación

Pienso que más allá de recordar, hoy en nuestro medio el reto es no olvidar la tragedia, si realmente se trata de construir un mañana distinto. «Un mañana en el cual las piedras se hayan olvidado de sangrar», como le escuché decir a una mujer en Carmen de Bolívar, ciudad del Caribe colombiano.

Con ese fin me embarqué a recorrer una vez más el país en busca de la vida y narrar luego un mínimo de esta realidad de la que no puedo desprenderme.

Se trataba de escuchar a las víctimas de un conflicto antiguo pero cada día distinto por la dinámica de un país que, definitivamente, parece moverse dentro de los parámetros de la ficción.

Este libro está formado por relatos íntimos, humanos, vividos desde el ángulo de los diferentes actores armados que, desde luego, no son los personajes principales. En este libro los protagonistas son los seres inermes que me miran desde las sobras de la noche con las manos en alto, pero con la esperanza de continuar viviendo.

Frente a ellos aparece la minoría con su vocación heredi-
taria de violencia que ahora encuentro inmóvil a través de las
generaciones, en una serie de relatos al alcance de mi percepción, con el contraste estético de la tragedia, sin charcos de
sangre, sin estridencia, ni facilismo, ni carencia narrativa, pero
con la fuerza de ese contraste entre la violencia y la ternura
que conforman nuestra nacionalidad.

Después de tres décadas en contacto estrecho con la gente
de mi país, estoy plenamente convencido de que no resultará
difícil hallar soluciones a esta guerra larga y vieja, sólo si nuestras prioridades son las de Colombia, no las del extranjero, y
si lo hacemos entre colombianos.

Luego de investigar, no de soñar, y de comprobar, no de
esgrimir teorías, me reafirmo en que nuestro conflicto tiene
sus causas en viejos desajustes de la sociedad, pero me parece que su solución se dilata hoy en el tiempo, en la medida en
que intereses extranjeros gravitan sobre nuestras ventajas
geopolíticas y estratégicas. Ése es parte del enfoque del presente trabajo. Otro, como lo he anotado, tiene que ver con la
existencia de seres humanos únicos. Éste es un libro de personajes vitales, de fantasmas salidos de nuestra realidad y de
seres incapaces de borrar de sus ojos el desamparo.

Pero también de una masa inmensa que entiende perfectamente la existencia de un mañana y está tratando de cons-
truirlo con su propio esfuerzo porque sabe que es capaz de
hacerlo. No de otra manera pueden surgir en medio de la
guerra ejemplos como el de la donación privada y monumen-
tal de arte del maestro Fernando Botero, la cual, en los primeros siete meses, en medio del conflicto, fue visitada por 800
mil niños en dos ciudades colombianas. Y cómo parte de esa
donación fue colgada por él mismo en una biblioteca de Bogotá, que con sólo un millón de libros, hoy, año Dos Mil Uno,
es la más consultada del mundo, por encima de la Pompidou

de Francia y la del Congreso de Estados Unidos, dotadas cada una con doce veces más volúmenes que la nuestra.

Estoy seguro de que si nos lo permiten, y si algún día llegamos a tener al frente del país a una generación que conozca la dignidad, Colombia será capaz de dar sola el primer paso para construir su mañana.

EL AUTOR

Noche de naturalezas muertas

Antes de morir, Alejandro Henao pensaba que finalmente había derrotado a sus secuestradores. Cosas de los seres humanos, cuando los seres humanos tienen dignidad.

Aquella mañana se hallaba tendido en el barro bajo un hule engarzado en cuatro estacas. Una de sus piernas se había puesto tan gruesa como el tronco del sande que limitaba la visión al frente, y el color de la piel parecía más oscuro que al atardecer. Un oscuro con muchos tonos: amarillento, morado, ocre grisáceo, verdoso: un verde oliva apagado. Toda una escala de tonalidades terribles subía desde el tobillo. En ese momento aquella visión de naturalezas muertas alcanzaba la rodilla y él sabía que cuando el pellejo se muda al gris y además al verde amarillento, está tomando el tono de la carne en descomposición.

«El gris es descomposición», pensó.

A esa hora la niebla olía mal. Era su propio olor. Por eso le había dicho a sus compañeros de carpa: «Aléjenme de ustedes, huelo a secuestrado». Y ellos se lo llevaron pendiente arriba y lo depositaron bajo el trozo de hule con que se guarecían dos guerrilleras. Ellas se fueron de mala gana hasta el charco que él ocupaba sobre el barro y la masa de hojas muertas y palos tendidos alrededor, con los cuales los secuestrados intentaban contener el agua que se arrastraba por la ladera. Debería ser el día treinta y ocho desde cuando los prendieron en los restaurantes que bordean el kilómetro 18 de la carretera que conduce de Cali a las costas del océano Pacífico.

Amaneció por fin. Mañana gris por el techo de nubes bajas. Las nubes venían del Pacífico y antes de chocar con la cordillera de montañas se desgajaban al atardecer, al comienzo de la noche, a la medianoche, a la madrugada, por la mañana. La anterior había sido una de aquellas noches en que uno llega a creer que Dios lo ha abandonado. Entre las cinco de la tarde y las cinco de la mañana pudieron contar doce aguaceros que acribillaban la selva en lapsos de media hora. Cesaba la lluvia otro tanto y cuando se escuchaban los árboles escurriendo, volvían la tempestad y el agua que barriendo el piso. Ellos estiraban los brazos en la oscuridad. Algunas veces lograban arrancar ramas de los árboles, las colocaban allí, pero el agua las cubría. Al atardecer se habían sentado sobre los pedazos de cobija y pronto sintieron que las nalgas y luego la cintura se anegaban y se pusieron de pie. Así transcurrió la noche eterna de la selva hasta cuando amaneció, a las... Diablos, nunca supieron a qué hora vivían porque les quitaron los relojes. Cuando comenzó el acoso del Ejército, tal vez el día cuatro, ¿o el día tres?, uno de los guerrilleros dijo que se los entregaran. Y que entregaran también los llaveros y los objetos metálicos que llevaban encima.

—¿Por qué? —les preguntó Alejandro, y el que mandaba, respondió:

—Los relojes son metálicos y nos están delatando: el avión fantasma...

—¿Acaso sus fusiles no son metálicos? —volvió a decir.

Silencio. Los recogieron uno a uno y se los llevaron.

La mañana siguiente, los secuestradores tenían puestos sus relojes.

—¿*Secuestradores*? Alto ahí. Nosotros, rico hijueputa, no somos secuestradores. Somos guerrilleros, hacemos retenciones. No lo olvide —dijo uno de ellos.

Alejandro, que siempre los enfrentó porque al secuestro lo derrota la dignidad, decía él, le preguntó entonces cual era la diferencia entre un secuestro y una *retención*, y el que mandaba respondió que se trataba de cosas diferentes. Luego se lo explicaría.

En ese momento, Alejandro pesaba unos veinte kilos menos que el día de la *retención*, un domingo de septiembre, y como los demás, vestía un pantalón verde de hilo y una camiseta verde que les dieron los guerrilleros. De los restaurantes se llevaron a 54 personas, luego comenzó la presión del Ejército y se vieron obligados a abandonar a treinta y tres hasta quedar veintiuno.

«¿Quiénes somos nosotros?», se preguntó luego y la respuesta llegó pronto. El que mandaba dijo por un aparato de radiocomunicaciones:

—Tenemos a la mitad de la mercancía.

Ellos eran mercancía que trepaba casi sin descanso por los contrafuertes de la cordillera resbalando en el piso de la selva.

El piso de la selva. Eso se dice fácil. Pero el piso de la selva es un colchón de hojas que han caído de los árboles a través de los siglos y debajo de él, una gelatina profunda de barro, y hay miles, millares de raíces que en este caso son obstáculos invisibles, y espinas como puñales que taladran las suelas fácilmente. Es una maraña que quiebra los pies y las rodillas porque no se ve y el hombre de la ciudad, acostumbrado a pisar liso, y duro, como es el cemento, da el paso y siente que los huesos traquean y vienen el dolor y la caída, y cuando se incorpora lo punza el cañón del fusil que marcha a sus espaldas:

—Hágale rico hijueputa, que es por la revolución.

A ellos les dieron botas de caucho. No a todos. A un joven que calzaba 45 le tocó un par 43. Y a algunos, una cobija. Andaban con su cobija al hombro, dando volteretas y rodando hasta el fondo de un tajo en la montaña encubierto por la vegetación. Y caminaban quince, dieciocho horas cada jornada porque el Ejército andaba cerca. Cuando se detenían, armaban sus plásticos en la oscuridad y se sentaban en el barro a esperar el día siguiente.

La cuarta noche, Alejandro le habló a un guerrillero de unos dieciséis años —la mayoría eran jóvenes, morenos o cetrinos, zambos o con facciones indígenas y cuando hablaban no miraban a la cara. Nunca los vieron mirar de frente—. Alejandro le preguntó qué era un rico y aquél respondió:

—Yo vivía en un poblado llamado Jamundí y comía una sola vez al día. Para poder comer, le ayudaba a una mujer que vendía morcillas y cosas de esas en el parque. Por las tardes cargaba las cajas con refrescos, le ayudaba en su trabajo y estaba allí colaborándole horas y horas. ¿Y sabe qué? A la medianoche, antes de irse, ella me regalaba una papa rellena. Eso era lo único que yo comía en todo el día. Apenas a la medianoche, no cuando despertaba. No. Eso era a las doce o a la una de la madrugada. Para mí, un rico es el que tiene con qué desayunar cuando abre los ojos. Un rico hijueputa es el que puede comer dos veces al día, no una sola vez, a las doce o a la una de la mañana. ¿Sabe qué es la revolución? Comer dos veces al día. Esa es la revolución colombiana, si quiere saberlo.

Los primeros 26 días anduvieron con hambre y angustia, mucha angustia, muchísima angustia, por un lugar llamado

Los Farallones de Cali, inmensas montañas que forman la cordillera Occidental. Partieron de la carretera a unos mil metros de altitud y treparon hasta 3.400 metros, más arriba de las nubes, a través de una selva de tierra fría asociada con la niebla, y luego volvieron a descender, puesto que un par de días después de la *retención* los captores hallaron que el Ejército había taponado las sendas conocidas y tuvieron que desviarse hacia las cumbres para esquivarlo. Pero los captores no eran hábiles en las cumbres ni buenos conocedores de selva. Saber de selva no es solamente orientarse sino identificar a cada paso la despensa de comida que representan los bosques tropicales, de manera que el estómago emergió como uno de los protagonistas del drama. Por otra parte, la fuga es un ingrediente que implica en la guerra correr sin detenerse para buscar un animal y comérselo crudo porque generalmente no se puede hacer candela de día. El humo delata. De todas maneras, ellos no sabían cosas tan elementales como hacer trampas o reunir un puñado de palmitos o cereales silvestres.

El Ejército pronto halló los lugares donde los guerrilleros habían almacenado comida y se la llevó, por lo cual, cuando llegaban a un refugio lo hallaban vacío. Miles de municiones, minas explosivas, arroz, fríjoles, sal, aceite habían desaparecido y los que mandaban y los que obedecían perdieron la cordura.

—Matemos a estos ricos hijueputas —dijo un día uno de ellos, pero una mujer se le enfrentó:

—¡Compañero, la organización no puede afrontar ese costo político! —gritó.

Luego, la marandúa, que es el rumor que corre por las selvas, trajo el cuento: «Los mandos se han enfrentado a trompadas».

Alejandro y sus compañeros presentían cada mañana y cada atardecer la presión del Ejército y a partir de allí él cami-

nó más lento, para acortar aún más la distancia. Un negro
dijo que había visto a los militares al otro lado de una cañada
y luego los vio otro y más tarde un tercero.

Ahora los helicópteros zumbaban sobre las copas de los
árboles; en otras oportunidades se escuchaba el sonido del
avión fantasma, unas veces de día, otras de noche. A ellos les
daban arroz dentro una bolsa de polietileno y se lo iban comiendo a pellizcos mientras caminaban y caían. Más adelante el arroz llegó crudo. El ser humano no maneja algo que
permita asimilar ciertas comidas sin haberlas pasado por el
fuego. Comes arroz crudo y arrojas arroz crudo. La mercancía se deterioraba por el hambre, por el ejercicio sobrehuma-
no que significa correr a más de tres mil metros de altitud, y
por la angustia. «El que trate de escapar, morirá; estos son
territorios nuestros, todo está minado contra el enemigo»,
decían para aterrorizarlos. Pero Alejandro comprendía que
esos no eran «sus» territorios, sencillamente porque transita-
ban desconcertados abriéndose paso a machetazos. «Los soldados los han llevado al desgaste. Romper selva los está
agotando», pensaba y sonreía, y luego les decía:

—Háganle, que es por la revolución.

La guerrilla se dividió en tres cuerpos. Adelante, desde
luego, la vanguardia. En el centro la mercancía: un secuestrado y un guerrillero a sus espaldas, y más atrás la retaguardia,
distanciados unos de los otros. «La mercancía no debe ente-
rarse de nada», había dicho el que mandaba a los demás, pero
la mercancía sabía qué sucedía adelante y atrás porque escuchaba los balazos. Luego la marandúa traía el rumor.

El día cuatro escucharon el primer combate y fue capturado un guerrillero. El día ocho murió otro y capturaron a cuatro: tres eran mujeres y un niño de catorce años. El día diez el
Ejército desmanteló una despensa con comida, herramientas
y plástico verde para improvisar carpas. El día once hallaron

un nuevo campamento de paso, pero el Ejército se había llevado la ropa y la comida.

Esa tarde Alejandro se sentía agotado.

—El único ejercicio que acostumbro es subirme a la cama —le había dicho a alguien y antes de enfrentar la trepada a un risco se sentó entre el barro y le gritó al hombre que venía castigándole las costillas con el fusil:

—Si lo desea, máteme, pero no camino más.

Uno de los que mandaba lo escuchó y se detuvieron unos minutos. Cerca de un laurel escuchó a varias guerrilleras.

—Un diálogo de colegialas hablando del noviecito, una conversación insulsa. Es que son niñas de quince, de dieciséis años —comentó después.

Esa noche avanzaron y luego retrocedieron y volvieron a avanzar antes de buscar un sitio para detenerse.

—*Ni un paso atrás...* ¿Cómo es eso? —le dijo a un guerrillero y sonrió. Estaban allí sentados sobre su cobija, y una hora después o algo así, escucharon un estruendo y tras el estruendo, voces:

—A correr, nos vamos, nos vamos.

Cien pasos, cien caídas y nuevamente la voz:

—Atrás, regresen atrás. Es un árbol que cayó.

Los guerrilleros estaban tensos.

Un poco antes del amanecer escucharon al avión fantasma.

—Sus relojes nos están delatando —le dijo con sorna a una mujer a quien él llamaba la Primera Dama. Era una guerrillera gorda, las piernas diminutas, la cola abultada pero cuadrada y decía que era la amante de uno de los que mandaban a todos ellos. «Mi marido sale en la televisión. Mi marido es muy popular», decía frecuentemente y miraba a la cara sólo a quienes le inclinaban la cabeza. Desde luego Alejandro no era uno de sus *fans* y cuando no había agitación, ni nerviosismo, ni amagues, ella se ponía frente al fogón y hacía

sopa de arroz, pero a él no le daba arroz sino el agua que
hervía sobre la olla, aunque a estas alturas se cocinaba poco.
Por las noches se acercaba alguien y les decía:

—¿Sí lo ven? Por culpa de su glorioso Ejército Nacional
no estamos comiendo, ni podemos detenernos a descansar,
ricos hijueputas.

Cuando creían que había calma, el que mandaba se senta-
ba bajo un hule con las piernas cruzadas, abría un cuaderno
en el cual había anotado la información obtenida en dos o
tres interrogatorios individuales y los llamaba uno a uno:

—Alejandro, ven acá —decía.

Alejandro lo asociaba con un sultán, su nariz horadada
por esquirlas de granos y espinillas viejas, las cerdas del bi-
gote colgaban por los extremos del labio. Él se acercaba y el
hombre le decía:

—Descálzate, me vas ensuciar el plástico que cubre el piso.

Alejandro se quitaba las botas.

—¿Cuántos fusiles me vas a dar? —preguntaba, y Alejandro le volvía explicar que sólo tenía una pequeña casa que no
había acabado de pagar.

—Aún la debo, yo soy un asalariado como toda esta gente. Trabajo desde antes de que amanezca, yo no soy rico.

—Tienes que darme cuarenta fusiles —decía aquel hombre.

—Cuarenta fusiles son doscientos millones de pesos. Mi
casa vale cuarenta. ¿Cómo puedo...? —respondía, y el hombre no lo dejaba terminar:

—Ése es tu problema, riquito de mierda. Cuando salgas
de aquí me tienes que dar cuarenta fusiles para la revolución,
y si no lo haces, ya sabemos dónde vive tu familia. Tú quieres
la tranquilidad para ellos, y que ninguno de tus hijos muera
como un perro, ¿verdad?

Y la mañana siguiente:

—Alejandro, ven acá. ¿Cuándo nos vas a pagar?

—Quince de febrero.

—¿El quince de febrero? Estás loco. Que sea el quince de diciembre. Ya lo sabes, tu familia... Ah. ¿Qué te gusta comer?

—Carne de cerdo.

—Bien. Cuando salgas de aquí alguien se va a comunicar contigo por teléfono y la clave será *carne*. Medida de seguridad para evitar el chantaje de algún bandido.

Luego llamó al doctor Nassif, un cardiólogo malherido que difícilmente se movía. Él le dijo que ganaba poco más de un millón de pesos en el Instituto de Seguros Sociales. Sí, era un cardiólogo, pero a la vez un asalariado, un hombre pobre, no tenía auto, debía la casa donde vivía.

—¿Un médico pobre? Amigo: todos los médicos son ricos porque son los dueños de las clínicas.

—No, somos asalariados, la Ley Cien...

—¡Qué leyes ni qué coño!. Tú me tienes que dar sesenta fusiles para la revolución.

—Dios, eso son trescientos millones de pesos. Nunca los he visto juntos.

—Mira una cosa, doctorcito de mierda: así te mueras, tú no te salvas de pagarnos ese dinero porque tu familia tendrá que hacerlo. Ahí quedan tu mujer, tus hijos, tus hermanos bien vivos. A nosotros nos pagan o nos pagan.

El médico se hallaba muy mal, los testículos al descubierto, la gangrena avanzando. Se quejó y el Sultán sonrió:

—Ahora sí te quejas. Pero cuando tú haces sufrir a la gente poniéndole inyecciones estás callado, ¿verdad?

—¿Desea que le muestre mi declaración de renta? —preguntó el médico.

—¿Qué es eso? —respondió el hombre.

—Un papel. En él verá cuánto gano.

—¡Cuánto gano! Los médicos son ricos, hijueputa. Te repito: si tú te vas algún día de aquí con los demás, como todos ellos me tendrás que pagar hasta el último centavo. Demórate un año, dos, lo que sea. Y si te vas del país, *apretaremos* a tus hermanas, a tus hermanos, a tus sobrinos. Aquí dejas tú mucha familia y nosotros sabemos quiénes son. Alguien te buscará en tu casa, en tu consultorio, donde estés y tú tendrás que ir pagando. Nosotros tenemos toda la información sobre ti.

Un poco después, Alejandro le informó al hombre de la nariz que el médico tenía un *shock* séptico y que eso era mortal, y aquél sonrió:

—¿Mortal? Eso no es nada, es un rasguño.

Llamó a la Primera Dama y le ordenó que buscara una aguja y una hebra de hilo para que lo cosieran.

—Eso no es posible, eso no se hace así —dijo Alejandro.

—Pues no es así con la gente cobarde. En cambio a nosotros...

—El médico está grave —insistió, y el hombre respondió:

—Ése es problema de él. Pero, además, nadie se muere de una herida.

—No tienen la menor idea de qué es salud —comentó Alejandro más tarde. Un día después preguntaron por medicamentos y encontraron que el botiquín de guerra estaba compuesto por una botella de alcohol, un frasco de agua oxigenada y unas tabletas de Dólex.

El día doce arribaron a otro campamento, pero no hallaron las cobijas, la comida, la ropa y las municiones que esperaban encontrar. El Ejército había pasado primero por allí y estaba cerrando el cerco. El médico se hallaba en peor estado.

—Nosotros no tenemos medicamentos, pero él es médico. Un médico se puede curar solo, para eso es médico —dijo el que mandaba. Miró hacia los árboles y comentó luego—: La culpa de todo la tiene el Ejército, que no se retira para que podamos negociar.

El día diecisiete fueron capturados un guerrillero, con su arma, y otro que había desertado. Luego escucharon un combate. Supieron que murió un guerrillero y que tres más se habían entregado.

Por la noche volvió la voz del hombre de la nariz abollada:

—De aquí nadie se van sin pagar. Si transcurre un año y alguien no ha pagado, lo matamos, porque tanto tiempo comiendo aquí, feliz y tranquilo... Eso le cuesta mucho dinero a la revolución y el rico hijueputa es mercancía inservible.

Esa noche una guerrillera rodó por un filo de la montaña. Alejandro escuchó un grito que se hundía bajo la vegetación, pero nadie dijo que se detuvieran. Un par de horas más tarde uno de los jefes ordenó buscarla, y a las cinco horas apareció con el brazo retorcido. Estaba fracturado por el codo.

Ya en el Naya, un valle intermedio en los contrafuertes de las montañas, supieron que serían separados en dos grupos. Luego escucharon al hombre de la nariz floreada diciendo por su aparato de radiocomunicaciones:

—Vamos a dividir la mercancía en dos lotes —tomó su cuaderno y leyó los nombres—: Tales se van. Tales se quedan.

El llanto de la separación, la despedida de hermanos, el adiós de algunos novios. Marcharon los primeros pero un par de horas después... el Ejército, que están encima, que regresen unos, que regresen también otros. Volvieron a unirse. Y Alejandro:

—¿Ni un paso atrás? ¿Ustedes no andan diciendo que ni un paso atrás?

El día veintiseis habían descendido tanto que comenzaron a abandonar el bosque nublado y desde los últimos riscos vieron el dosel de una selva densa. Se movían hacia el río Naya a unos mil metros de altitud. Floresta cálida pero igualmente húmeda. Un día más tarde escucharon dos combates. La marandúa dio cuenta de un guerrillero muerto.

Por la tarde cayó muerta una guerrillera. La retaguardia empezaba a ser diezmada, y el Ejército se acercaba a la mercancía.

La esperanza de comer, por fin, estaba en el Naya. Les habían dicho que allí tenían grandes bodegas de comida, pero llegaron allá y las bodegas no eran bodegas sino hules engarzados en los árboles, y tampoco eran grandes, ni había comida. El Ejército también había estado allí.

Aun al pie de la cordillera, los aguaceros torrenciales continuaban. Por las noches, mientras dormían, los secuestrados se escurrían por la pendiente y terminaron por atar sus manos con los cinturones a los troncos de algunos árboles.

Una mañana se apareció por allí alguien que hablaba de política.

—Llegó el momento de sentir la guerra. Ustedes no la han sentido —dijo, y Alejandro le explicó que ellos eran inocentes.

—En Colombia no hay inocentes —respondió aquél, y luego de un breve silencio, continuó—: Los ricos de Cali, y los ricos de Colombia no la han sentido aún.

—Nosotros no somos ricos —insistió Alejandro, y el hombre pareció no escuchar. Ahora hablaba del petróleo y de los recursos naturales:

—Quienes gobiernan se lo han entregado todo al imperio. Hoy los ricos de Cali quieren robarse el gas natural y el resto regalárselo a alguna multinacional extranjera. Estamos en eso. La élite se lo ha robado todo. Aquí todo son saqueos del dinero público. Todo son *Dragacoles*. Miren diariamente la prensa: cada día hablan de miles de millones que se roban los amigos del Presidente de la República, miles de millones que se roban los del Congreso, miles de millones que se roban en las empresas de servicios públicos. Las entregan, luego las descapitalizan; los que compran reciben regalado y el resto se lo roban los de aquí, y luego, para solucionar el atraco, elevan las tarifas de la luz y del agua. Y triplican los impuestos para que el *Cartel de Palacio* pueda robar más. Y el pobre se muere de hambre. Hace poco había en las esquinas de Cali unos cuantos mendigos, unos pocos harapientos vendiendo Marlboro. Miren hoy esas esquinas: no caben los miserables, no caben los hambrientos.

—Siendo las cosas así, entonces ¿por qué no luchan contra el *Cartel de Palacio* y contra los del Congreso? —preguntó Alejandro, y el hombre bajó el tono de su voz:

—Eso es más difícil —respondió.

En el Naya encontraron cultivos de coca y ranchos abandonados momentáneamente donde hacían pasta de coca. Los trabajadores estaban escondidos esperando que regresara la tranquilidad. Luego encontraron otros ranchos donde refinaban cocaína.

La marandúa:

—Negocio de los que mandan en esta guerrilla. Cuando uno comete algún error lo castigan haciéndole destruir la selva durante seis, ocho meses. Una vez desaparece la selva, otros siembran la coca y al final del proceso, cuando está lista la cocaína, la misma guerrilla se la lleva por río hasta el océano Pacífico, muy cerca de aquí.

(Destruyen los bosques más valiosos de la Tierra, por su producción de biomasa.)

El médico Miguel Nassif se agravó y lo dejaron en uno de aquellos ranchos con Robinson. Robinson era un guerrillero con la cabeza embombada, ojos achinados muy cercanos uno del otro, sin barba y el pelo de la cabeza le afloraba desde abajo, en el cuello, atrás; los dedos cortos, los brazos más cortos, pero parecía fuerte. Era la mula de carga. Y habla trabado: «Icos hiueútas», decía siempre. «Un niño diferente», dijo Alejandro, y alguien lo corrigió: «No. Es un mongoloide, un retardado mental con síndrome de Dawn». A él lo dejaron cuidando al médico y esa noche lo azotó con su fusil de la segunda guerra mundial, un fusil viejo y oxidado por la humedad de la selva, como los demás. Y le dio también coces y patadas para hacerlo caminar, a pesar de tener los testículos fuera de la piel y la carne descompuesta. Olía muy mal. Al día siguiente el médico tenía varias costillas rotas. Una de ellas le perforó uno de los pulmones.

El día veintiocho escucharon dos combates. La marandúa:

—En el primero cayeron tres compañeros en manos del Ejército. En el segundo murieron dos y fueron capturados cuatro: una muchacha de quince años, una de diecisiete y otra de diecinueve, además de uno de doce y otro de veintidós.

Esa noche una guerrillera rodó por un risco. Dos horas después abortó. La mayoría estaban embarazadas.

Carlos García, otro de los secuestrados, fue agotándose progresivamente por causa de la angustia y se quejaba de un intenso dolor en la boca del vientre. Lo atacaba una úlcera sangrante que lo llevó hasta la anemia, a pesar de lo cual debía caminar por aquel piso de la selva entre diez y doce horas cada día. Le dijeron al que mandaba que irremediablemente iba a morir, y aquel sonrió:

—¿Úlcera? Ésa es una broma. Ricos hijueputas; hijueputas y cobardes... Y además, payasos —respondió.

Carlos García perdió veinticinco kilos en una semana y pasó de ser un hombre fuerte a un cadáver que chapoteaba entre el barro. Un día lo dejaron en otro rancho de cocaína, pero se quedó con Robinson, y Robinson lo azotó y luego de la paliza murió, y Robinson siguió en su cuento: quería que le regalaran los harapos, los cinturones con los cuales se ataban por las noches a los árboles, los zapatos a pesar del barro. Y cuando no le daban algo, los robaba. Pero a la vez, se robaba cosas del fogón y se las vendía: por una libra de arroz cobraba diez mil pesos. Había allí otra joya: un negro salido de los barrios marginales de Cali. Él también estiraba las uñas. Llegó a vender una panela en quince mil pesos. Y se metía a las carpas donde dormían los que mandaban y sacaba cosas de sus morrales. Una noche apareció con una pequeña lata de atún y se la vendió a un secuestrado en veinte mil pesos.

El día treinta y uno llegaron a un campamento y tampoco hallaron la comida. El Ejército avanzaba. El treinta y tres, encontraron otra, también desmantelada. Cada atardecer menos comida, más angustia, más barro, más enfermedades. Esa tarde fueron capturados por los soldados dos guerrilleros y desmantelaron una despensa aún más grande que la anterior. Era un punto clave por la cantidad de víveres almacenados allí. El día treinta y cinco el Ejército capturó a dos guerrilleros más. Estaban diezmando a la retaguardia.

Esa noche Alejandro rodó por un precipicio, se lesionó los huesos de un pie y se le abrió una herida arriba del tobillo. A partir de allí empezó a hincharse y a tomar colores. Aparecieron el gris y el morado en su pierna. La coloración de la muerte ascendía rápido. Simultáneamente se fugaron cuatro guerrilleros. Antes habían dicho que se sentían enfermos. Pero es que todos estaban enfermos. Todos tenían laceraciones en el cuerpo, y hongos, y pus en los rastros que les dejaba la selva en la piel. Luego del combate, Alejandro escuchó las voces de algunos de ellos en la oscuridad: «Estoy sin munición», dijo uno. Una mujer contó que por la mañana tenía cuatrocientos cartuchos pero había quemado trescientos en los últimos combates. Dos jóvenes no tenían nada. Y las armas: las armas se hallaban oxidadas, las armas no iban a disparar más, decían otros.

La retaguardia fue muerta o cayó en su totalidad en manos del Ejército. «Ahora la mercancía está al alcance de los militares», comentó uno de los jefes y la marandúa lo transmitió. Al atardecer, el de la nariz con esquirlas se acercó a ellos y les dijo:

—Ustedes no serán para el Ejército. Si el Ejército se acerca más, los mataremos a todos. Pero a todos. Todavía tenemos munición con qué hacerlo —y colocó un guerrillero detrás de cada uno de ellos.

En las sombras se desgajó el cielo. Doce aguaceros, una noche en que parecía que Dios los hubiese abandonado. Alejandro estaba arriba, bajo el hule de dos guerrilleras, solo, silencioso.

Día treinta y ocho. Luego de amanecer, el de la nariz subió a percatarse de su estado y él dijo que no se sentía bien pero que iba a salir adelante. No se dejaría morir. Luego habló de algo postergado:

—¿De qué se trata? —preguntó el guerrillero, y Alejandro repitió:

—¿Qué es un secuestro?

—Ah, ¿todavía con eso? Un secuestro es capturar a una persona, privarla de la libertad y mantenerla presionada con maltrato.

—¿Y una retención?

El guerrillero sonrió:

—Retención es mantener en buen estado a alguien por un tiempo determinado, cuidar de él y tratarlo bien. Y después de que colabore con la revolución, devolvérselo a sus familiares en perfectas condiciones.

Media hora más tarde subió una guerrillera.

—Alejandro no se mueve. No respira. Está muerto —dijo al regresar, y el de la nariz pareció perder el sentido.

—¿Por qué me sucede esto a mí? ¿Por qué? ¿Por qué?

Tomó la radio y se comunicó con alguien:

—La mercancía sigue dañándose. Negocien con el gobierno la entrega de estos ricos hijueputas. Busquen negociar ya. No tenemos más comida.

Una feria con dos rostros

Aquella mañana de mayo del Dos Mil Uno, Mark Bowden era el penúltimo periodista estadounidense que llegaba ese mes a Colombia «tratando de desentrañar lo que a juicio de muchos va a ser la próxima gran aventura militar de los Estados Unidos», pero nunca pasó de algunas calles de la ciudad. En la embajada de su país no lo recibieron como esperaba, la embajadora no le permitió conocer dos bases militares estadounidenses en la selva amazónica llamadas Larandia y Tres Esquinas, y a juzgar por lo que escribió luego en la revista *Prospect*, terminó viendo la guerra como una gran feria.

Realmente la vivencia de Bowden concluyó poco después de su llegada. En Bogotá cruzó por el mundo de dos paisanos suyos, Eddye y Brent y se quedó a su lado y luego los presentó como dos prósperos comerciantes bélicos que vinieron a Colombia y se quedaron a negociar una vez supieron que los Estados Unidos comenzarían a invertir millones de dólares en una guerra regional.

Eddye satisface parte de las necesidades de los mercenarios estadounidenses que se mueven en este país, tiene un imperio en el aeropuerto de Bogotá, la capital, y cree que los 1.300 millones de dólares con los cuales Washington participa inicialmente en este conflicto «son el primer escalón de una espiral de sangre para el Tío Sam».

Desde el ángulo del periodista viajero, la guerra que hacen aquí los Estados Unidos es un negocio tan próspero como la empresa de su amigo al cubrir necesidades de combatientes estadounidenses que se mueven como felinos silenciosos, o «encubiertos», según dicen ellos.

Bowden resume el imperio de Eddye como una red de remolques al borde de la pista aérea, rodeada por una buena variedad de aviones, vehículos, frigoríficos, alambradas y todo tipo de suministros. Operación de apoyo a los mercenarios, que sirve de depósitos de abastecimiento, centro de mensajes, lugar de recibimiento y despedida de cada hombre o mujer, arma, ración, perro y poste que llega, «como parte de la creciente intervención estadounidense en esta nación».

Justamente el día que Bowden publicó una nota que tituló *La guerra secreta de los Estados Unidos*, el Estado había cerrado las dos clínicas oficiales más importantes y más grandes del país: el Hospital Infantil, único para niños enfermos —secuelas del hambre y la carencia—, que cubría una zona de influencia poblada por diez millones de pobres y de miserables, y el San Juan de Dios, también de tercer nivel, también para aquellos desarrapados que ahora deben esperar la muerte en las calles o en los parques, y el Presidente de la República —se llamaba Andrés Pastrana— guardó silencio. Y el Congreso guardó silencio. Y la prensa guardó silencio.

Desde luego, aquella mañana de lo único que se hablaba en las altas esferas colombianas era de la guerra. Para una élite restringida, lo *in* era la guerra vista por gente como el reportero Bowden. Ellos vienen, miran y luego escriben siempre lo mismo. Pienso que los estadounidenses no ven el mundo como es, sino como ellos quieren que sea.

Bowden recreaba en su nota la abundancia de la guerra:

«Cuando la maquinaria bélica de los Estados Unidos hace un despliegue semejante, suele hacerlo a lo grande: sacos de arena, lonas, insecticidas, generadores, máquinas de Coca-Cola, videos, literas, uniformes, radios, explosivos, cafeteras, todos los artículos de un catálogo de operaciones sobre el terreno y otros que no figuran en él. El aparato militar estadounidense es impresionante pero además acaparador. No se limita a levantar un campamento sino que importa toda la cultura de comidas rápidas, centro comercial y recipientes de usar y tirar. Y son pocas las cosas que van a sobrar. Los empresarios estadounidenses que subcontratan en la guerra compran barato y venden caro... Brent y Eddye son como otros miles de hombres de negocios estadounidenses que están disputándose esos 1.300 millones de dólares y todas las perspectivas que prometen para el futuro. Casi todos son militares recién retirados».

Bowden, como veintisiete reporteros estadounidenses que lo antecedieron aquel mes de mayo, venía atraído por el Plan Colombia, una guerra diseñada en Washington con el pretexto del tráfico de drogas y de una guerrilla poderosa, aunque el conflicto colombiano va mucho más allá de diez mil guerrilleros armados con fusiles Kaláshnikov que les proporcionó la CIA, y del tráfico de cocaína, fenómenos que plantean un problema eminentemente económico, no militar, ni de guerra artesanal, ni de bombardeos. Y además de económico, un problema de gustos y preferencias de los estadounidenses, que luego de Vietnam estimularon el tráfico de drogas a partir de Sudamérica.

El 2 de julio de 1997, Thomas McLarty, jefe de gabine-
te del presidente Bill Clinton, dijo ante la Asamblea General de la Organización de Estados Americanos en Lima:
«Con solo el cinco por ciento de la población mundial, los
estadounidenses consumen la mitad de toda la droga del
mundo».

Y el 26 de abril del Dos Mil Uno, el secretario de Estado,
Colin Powel, dijo en el Congreso de su país: «El verdadero
problema en la zona andina no es causado por esa región sino
por lo que sucede en las calles de Nueva York y otras grandes
ciudades en este país, donde no sólo niños pobres sino abo-
gados y artistas continúan usando drogas en forma ilegal. Esto
es lo que está causando el problema en Colombia y en otras
naciones de la región andina [...] Hoy no les podemos decir a
los campesinos de Sudamérica que simplemente dejen de cul-
tivar la coca. Hay que proporcionarles los medios para que
puedan poner comida en sus platos».

Para Bowden, un eje del Plan Colombia eran las dos bases
militares estadounidenses en la selva, y luego de haber soñado con ellas y buscado sin éxito un permiso en Washington
para visitarlas, resolvió probar suerte en Bogotá: «El embajador anterior en forma prudente había decidido mantener a
todo el personal estadounidense en Colombia lejos de los
periodistas y ésa es una de las razones por las cuales hay tan
poca gente en los Estados Unidos que sepa lo que está ocurriendo en Colombia».

Por eso se vino, pero tampoco tuvo suerte. La embajadora
Paterson no lo recibió y él se quedó con la imagen que un
funcionario del Departamento de Estado le había dado de ella
en Washington: «Una mujer que igual ofrece una recepción,
u ordena un bombardeo en Colombia».

Una novedad de *La guerra secreta de los Estados Unidos*,
consistió en que, hasta ese momento, ni los contados colom-

bianos que leen prensa extranjera tenían idea de lo que realmente estaba sucediendo aquí.

Bowden comenzaba por recordar que fuerzas especiales del Ejército de los Estados Unidos dirigían las operaciones de dos nuevos batallones del Ejército colombiano equipados por ellos, pero esas voces de mando eran pronunciadas «en forma encubierta».

En el año Dos Mil se había dicho que en Colombia se movían solamente doscientos soldados estadounidenses, pero sin que el país lo supiera, el número aumentó a quinientos con la llegada de un equipo especial de algo llamado *Sigint* encargado de realizar inteligencia electrónica.

Esas eran las cifras, digamos oficiales, «pero la verdad es que el Ejército estadounidense posee unidades clandestinas en Colombia desde 1989 cuando envió su primera unidad secreta o encubierta con el nombre en clave de *Central Spike*.

»Luego llegaron los soldados de la Fuerza Delta y después Washington anunció que comenzaba con el Plan Colombia, y con él aparecieron los mercenarios. La mayoría de ellos son quienes aplicaban la política silenciosa de los Estados Unidos en Colombia desde hacía varios años; ahora lo siguen haciendo a cambio de mejores sueldos, pero ya no son parte del Ejército. Hoy la política estadounidense consiste en privatizar sus guerras en el exterior».

El tema de este conflicto que Bowden, igual que decenas de reporteros estadounidenses, ve como el gran negocio, había emergido cuando un conferencista especializado —en Colombia les dicen violentólogos— trató de compararlo con la guerra de El Salvador. Siempre sucede igual: para buscar una explicación a sus propios problemas, los colombianos tratan irremediablemente de parecerse a alguien.

A raíz de aquella distorsión, Tom Marks, uno de los analistas militares que más ha estudiado el fenómeno colombiano y quien más ha escrito sobre él, a su regreso a los Estados Unidos señaló en la revista *Soldiers of Fortune* (agosto de Dos Mil):

«En El Salvador teníamos el objetivo de ganar la guerra, de ayudar a El Salvador. En Colombia no tenemos dicho objetivo. Allí estamos en esta lucha por nuestros propios problemas nacionales. Nuestro paquete de ayuda nos sirve a nosotros y no a ellos, y los colombianos lo saben».

Y lo saben organizaciones como The Federation of American Scientists de Washington y Corpwatch de San Francisco, según las cuales, hasta el Dos Mil, de la ayuda de 1.300 millones de dólares aprobada por el Congreso de Estados Unidos para la guerra en Colombia, 1.138 millones habían sido invertidos por ese país en sus propias industrias y en sus empresas de mercenarios. Eso es un poco más del 87 por ciento.

Sin embargo, los 1.138 millones eran una cifra parcial porque a ellos no se había sumado, por ejemplo, el valor de un avión de alta tecnología ni el de otros rubros, como lo recibido por las industrias productoras de herbicidas y hongos para guerra biológica.

(La industria de agroquímicos estadounidense es la más poderosa del mundo, luego de la metalmecánica y la de comunicaciones.)

Eso quiere decir que en aquel momento, Washington ya había invertido toda la ayuda en sus propios intereses y faltaba dinero. Justamente considerando esa posibilidad, el gobierno estadounidense había determinado previamente que Colombia tiene que invertir en la feria tres veces más que los Estados Unidos, es decir, cuatro mil millones de dólares.

Pero Colombia es el país con mayor desempleo de América Latina proporcionalmente a su población. Según Bogotá, al promediar el año Dos Mil Uno, tres millones de personas en las ciudades no tenían trabajo. Sin embargo, los gobernantes aseguran que quien vende un caramelo o una cajetilla de cigarros en las calles, de alguna manera cuenta con un trabajo (son otros seis millones y medio). El trabajo debe permitir que la gente viva como los seres humanos y que tenga acceso a la seguridad social, y como aquello no es verdad, la cifra se eleva a nueve millones y medio de desocupados urbanos, en una población total de cuarenta millones de seres.

Pero deshaciendo pasos, tan pronto Washington aprobó lo que desde entonces llamó ayuda, o Plan Colombia, lo primero que el gobierno estadounidense giró fueron treinta millones de dólares a favor de Northrop de Los Ángeles, para comprarle un avión RC-7 multifunción de reconocimiento aéreo ARL-M (siglas de espionaje). La nave le será entregada al Ejército de Estados Unidos como reposición de uno similar que, mientras volaba comandado por militares de ese país en plan de espionaje contraguerrillero, se estrelló contra un cerro llamado Patascoy al sur de Colombia, la madrugada del 23 de julio de 1999.

Según medios de prensa estadounidenses, el accidente dejó al descubierto la participación de los Estados Unidos en la lucha contra la guerrilla. No obstante, familiares de las víctimas dijeron que rechazaban la versión oficial que habla de un error de la piloto y alegaron que se trató de un misil disparado por las guerrillas comunistas. Ellos, como cualquier estadounidense, continúan teniendo pesadillas con Vietnam.

En medios militares colombianos se dijo que la guerrilla local carecía, en ese momento, tanto de sistemas de inteligencia como de tecnología para derribar una aeronave de esas características.

El avión, un estadounidense B-7, de reciente modelo y dos motores, dotado con tecnología de espionaje, había partido a la una de la mañana de una base militar colombiana, con un observador estadounidense y tripulación colombiana.

James Zackrison, analista del Pentágono, afirmó:

—Según la hora en que el avión desapareció de los radares, se trataba de un viaje de inteligencia y podría estar tomando fotografías aéreas de la zona.

Stratford Global Intelligence Update, agencia de noticias especializada en temas de inteligencia de Estados Unidos, dijo que el avión estaba dotado con interceptor de comunicaciones para realizar labores de inteligencia a través de imágenes.

Para distraer al país, militares colombianos le dijeron a la prensa que la piloto no pudo eludir la masa montañosa que lo esperaba, porque ésta simplemente no aparecía registrada en el mapa táctico que utilizaba para volar, identificado con la referencia TPCL26D y elaborado por la National Oceanic and Atmospheric Administration (NOA) por encargo del Departamento de Estado. El mapa contiene una región limítrofe entre dos departamentos del sur de Colombia llamados Nariño y Putumayo.

En el lugar donde debía aparecer la montaña Patascoy a doce mil pies de altitud sobre el nivel del mar, la carta mostraba un espacio en blanco en el cual se leía: «*Relief Data Incomplete* (datos de relieve incompletos)».

Eso lo escribieron y lo repitieron en la televisión y a través de la radio con el mismo ritmo que narran un partido de balompié, porque se trataba de una gran exclusiva: una «chiva» de última hora, como dicen los periodistas colombianos.

En un conflicto, ante todo se trata de matar la palabra. Los actores armados saben perfectamente que muerta ésta, desaparecerá la verdad y los sentimientos de la gente podrán ser manejados de acuerdo con los intereses de cada bando. En este caso, los Estados Unidos negaban la participación directa de soldados estadounidenses en la lucha contra la subversión.

Eran épocas en las cuales las guerrillas colombianas aún no habían sido consideradas por el mundo occidental, Europa y los países de América, como grupos terroristas, y aún los estadounidenses jugaban basados en su vieja filosofía de lanzar la piedra y esconder la mano.

En aquel momento, la prensa no tuvo acceso al lugar del accidente y la escasa información que logró conocerse fue la que les dio el Ejército local a los periodistas. Caso típico en este conflicto, pues en el avión no volaba un estadounidense sino cinco, encabezados no por un observador sino por la capitana Jenifer Odon como piloto. La nave no se impulsaba con dos motores sino con cuatro, y la tecnología con que estaba dotada no era de última generación pero sí un tanto avanzada en el campo electrónico para una guerra como la de Colombia.

Aquél era un avión civil, el Dash-7 construido por DeHaviland, no en los Estados Unidos sino en Canadá, cuarenta años atrás, pero se hallaba en buen estado: motores nuevos, sistema eléctrico nuevo, estructuras renovadas. Nave de bajo precio con equipos para espionaje de alto precio.

Como el avión que debe remplazarlo con dineros del Plan Colombia, éste poseía básicamente un sistema de visión infrarrojo, radar de 360 grados de búsqueda, sistema DF *(Direction Finder)* para rastrear señales, sistema de radiogonometría, para localizar al enemigo a partir de sus comunicaciones... Resultaría interminable enumerar la gama de sistemas que puede adaptarse a bordo de una «plataforma» de este tipo, como dicen los expertos. Finalmente no se trataba de una nave de última generación porque ésas se las reservan los Estados Unidos para su servicio, por lo cual traen a estos países aviones viejos, pero adaptados.

El «mapa táctico» del cual habló el oficial de infantería a los medios de prensa no existió nunca. Pero tampoco ocurren accidentes de aviación porque un mapa sea incompleto. Los mapas «tácticos» pueden ser guías para el Ejército, pero quienes vuelan, utilizan cartas de navegación.

En ellas figuran las rutas y las alturas mínimas para mantenerse sobre cada región. Les dicen MEA (Altitud Mínima en Ruta), por sus siglas en inglés, y son las mismas para todas las aeronaves.

Según analistas colombianos, aquella madrugada la capitana Jenifer Odon volaba sobre una llanura cubierta por la selva y pretendía remontar luego una enorme cadena de montañas antes de llegar a la costa del Pacífico. Sobre la selva, la carta señala una MEA de cuatro mil pies sobre el nivel del mar y ella volaba esa altura, pero cuando decidió cruzar las montañas tendría que haber buscado los 16 mil pies que le indicaba la carta, describiendo giros, trazando una espiral, un alambique (volando por instrumentos, dicen los expertos), pero no ocurrió así. Ella y su copiloto, al parecer, ascendieron «visual», es decir, en línea recta. Acaso no imaginaron que entre la planicie y esa mole llamada Patascoy había una corta distancia horizontal. Según pilotos estadounidenses, en su país están acostumbrados a ascensos progresivos antes de llegar a la cúpula de las montañas. Aquí no. Aquí en el límite de una planicie se levanta vertical, inmensa, una muralla de rocas: Los Andes.

Ya se lo había dicho a usted: los estadounidenses ven el mundo no como realmente es, sino como ellos quieren que sea.

Siete muertos. Para rescatar los cadáveres y una parte de los instrumentos del avión, ingresaron a Colombia naves y tropas estadounidenses «encubiertas» y, desde luego, sin la autorización del Congreso, como lo escribieron en alguna ley, y el Ejército local se negó a revelar lo sucedido con el avión. Sin embargo, uno de los jefes de la Policía dijo más tarde en la televisión:

—Los *americanos* no nos han autorizado a abrir la boca: la operación está siendo manejada directamente por el gobierno de los Estados Unidos.

Según Stratford Global Intelligence Update: «desde ese avión espía habían logrado ponerse al descubierto y contrarrestar algunas ofensivas de la guerrilla. Pero este accidente no sólo subraya la rápida escalada en la que Estados Unidos se está involucrando en la lucha contra la guerrilla en ese país, sino que además ha abierto una ventana para los insurgentes, cuyas últimas ofensivas habían logrado ser contenidas gracias a la información suministrada por ese aparato y hasta que no se le encuentre un remplazo, la guerrilla se podrá mover con mayor libertad y atacar no sólo al Ejército colombiano sino a las tropas estadounidenses en Colombia».

Desde luego, las últimas palabras de Stratford Global quedaron fuera de base porque a partir de allí, el gobierno de los Estados Unidos comenzó a contratar esa labor con compañías de mercenarios de su país.

Íbamos en treinta millones de dólares salidos de la ayuda. Otros 68 millones le fueron entregados a la Lockheed Martin de Palmdale, California, que colabora con sistemas de radar de alerta temprana para mejorar las tareas de la aviación P-3 AEW (guerra antisubversiva), actualizando cuatro radares APS-138 a radares APS-145. Los cuatro fueron adquiridos con dineros de los colombianos y entregados a los Estados Unidos para ser manejados por militares estadounidenses, quienes le dan la información a sus bases en Estados Unidos.

La firma Ayres Corporation de Albany recibió 54,5 millones de dólares para optimizar aviones OV10 y convertirlos en algo que llamarán OV11 (Bronco) de la Fuerza Aérea Co-

lombiana y para modernizar programas de interdicción en
los aviones A-37 (Tucano). En pocas palabras, se trata de cam-
biarles motores, hélices y sistema eléctrico. De ese dinero,
veinte millones de dólares fueron destinados a la adquisición
de una nave Ayres S2r T-65 para dispersión de herbicidas, la
cual, según el fabricante, «puede llevar a cabo operaciones
de guerra química con defoliantes» en operaciones menos «encubiertas» como en la que será utilizada la nave de Ayres Corporation.

Bell Helicopter Textron de Texas ha recibido 75,6 millones
de dólares para que reforme 42 viejos helicópteros Huey II
(treinta para el Ejército, doce para la Policía), equipados ahora con motores T53 para mejor desempeño a gran altitud.

United Technologies Corporation, Sikoraski Aircraft de
Stratford, Connecticut, recibió 234 millones de dólares por 18
helicópteros Halcón Negro (Black Hawk), dos de los cuales
serán para uso policiaco y 16 para labores militares.

A Kaman Aeroespace Corporation de Bloomfield, Connecticut, le entregaron 32 millones de dólares por cinco helicópteros K-MAX de uso pesado y su respectivo mantenimiento por
cuatro años, para supuestas operaciones antinarcóticos en Perú.

A la Schweiser Aircraft Corporation de Nueva York le ha
sido contratado, por nueve millones de dólares, un avión SA
2-37 equipado con censores infrarrojos *forward looking*, que
oficialmente servirá para apoyar con labores de «inteligencia
orgánica» a los batallones antinarcóticos del Ejército colombiano.

A la firma DynCorp de Virginia se le dio un contrato por
635 millones de dólares por asesorar, entrenar y colaborar en
las misiones antinarcóticos con Policía y Ejército en Colombia

Excluyo a Monsanto, DuPont y Agricultural Biológical
Control (Ag/BioCon) y Military Professional Resources Inc
(MPRI) de Alexandría —que aportaron herbicidas y una cla-

se de hongo para guerra biológica y entrenamiento de tropas—, cuyos ingresos por participar en el Plan Colombia eran desconocidos hasta septiembre del Dos Mil Uno.

Todo esto es igual a los 1.300 millones de dólares que Washington le ha girado a Washington.

El segundo rostro de la feria mira hacia el Capitolio en Washington, hasta donde acudieron agentes de estas empresas entre 1999 y Dos Mil, para entregarles dinero con destino a sus campañas políticas, a congresistas que, desde luego, tuvieron que ver con el Plan Colombia, del cual su país ha recibido hasta hoy no una tajada, sino la torta completa. Y un poco más.

Según Corpwatch de San Francisco, Federation of American Scientists de Washington y Center for Public Integrity, de Washington, éstas son las atenciones y algunos de los destinatarios del *lobby*:

- De Nortrhrop Grumman Corporation para:
  Martin Frost, demócrata, 10 mil dólares.
  Duncan Hunter, republicano, 9.400.
  Saxby Chambliss, republicano, 9 mil.
  Joseph Lieberman, demócrata, 8 mil.
  «Buck» P. Howard, republicano, 8 mil.
  John P. Murtha, demócrata, 8 mil.
  Loretta Sánchez, demócrata, 7 mil.
  Ike Skelton, demócrata, 7 mil.

- De Bell Helicopter Textron para:
  Henry Bonilla, republicano, 10 mil dólares.
  Martin Frost, demócrata, 10 mil.

Kay Granger, republicano, 10 mil.
John P. Murtha, demócrata, 10 mil.
William M. «Mac» Thornberry, republicano, 10 mil.
Abraham Spencer, republicano, 10 mil.
Lincoln D. Chafee, republicano, 8 mil.

- De United Technologies Corporation para:
Dan Burton, republicano, 7.500 dólares.
Rosa DeLauro, demócrata, 8 mil.
Sam Gejdenson, demócrata 10 mil.
Nancy Johnson, republicana, 10.350.
John B. Larson, demócrata, 10 mil.
Jim Maloney, demócrata, 11 mil.
Joseph I. Lieberman, demócrata, 10 mil.
Olympia J. Snowe, republicana, 9 mil.

- De DynCorp para:
Thomas Davis III, republicano, 4 mil dólares.
Steny H. Hoyer, demócrata, 4 mil.
James Moran Junior, demócrata, 6 mil.
George Allen, republicano, 7.250.

Según las mismas instituciones que investigaron las cifras y los nombres anteriores, entre 1997 y 1999 —cuando los dineros de la ayuda comenzaron a girar en la ruleta del Capitolio, ocho de los contratistas de la guerra y algunas empresas multinacionales con intereses en Colombia, entre ellas Occidental Petroleum Company, dejaron seis millones de dólares para sus campañas políticas en manos de congresistas que invariablemente tenían que ver con el Plan Colombia.

A propósito, Carlos Salinas, de Amnistía Internacional, dijo:

—Se va a desatar un infierno. Éste no es un plan colombiano. Es un plan de los Estados Unidos elaborado por el *Southcom*, Comando Sur del Ejército estadounidense. Dicen que pretende la solución definitiva de todos los males de Colombia, pero no es más que un truco comercial para ayudar a Sikorski y a Bell Textron a vender muchos helicópteros y a ayudar en la campaña de Al Gore, contrarrestando las acusaciones de que el gobierno de Clinton no ha tocado a fondo las drogas. El Plan va a generar matanzas en masa de civiles y una gran crisis de refugiados en la frontera con Ecuador.

Sikorski Aircraft (le compraron 18 helicópteros Black Hawk) entregó 531 mil dólares. Las fuentes solamente comprobaron el recibo de dineros por parte de ocho congresistas.

Bell Helicopter Textron de Texas (recibirá dos millones de dólares por hacer la reconversión de 42 viejos helicópteros Huey) entregó 449 mil dólares. Comprobados como destinatarios, siete congresistas.

Northrop Grumman Co., 775 mil dólares. Las fuentes se limitaron a comprobar únicamente entregas a ocho congresistas.

DynCorp, 84 mil dólares. Comprobados cuatro congresistas.

DuPont, productora del herbicida glifosato, empleado en guerra química, 316 mil dólares para 114 congresistas y candidatos al Congreso. Cada uno de los últimos recibió entre 500 y 3.000 dólares.

Monsanto, productora de glifosato, entregó 137 mil dólares. Comprobados dos congresistas.

Agricultural Biological Control (Ag/BioCon), productora del hongo *Fusarium oxysporum*, previsto para la etapa de guerra bacteriológica, entregó 2.250 dólares a dos congresistas.

Lockheed Martin (radares), dos millones de dólares.

Occidental Petroleum Company, 350 mil dólares. Comprobados como receptores cinco congresistas, entre ellos la candidata al Congreso, Hilary Clinton, esposa del Presidente de los Estados Unidos en aquel momento.

Según las fuentes consultadas, Al Gore, en esa fecha Vicepresidente de la Unión y candidato presidencial, controlaba un paquete de acciones de Occidental Petroleum Company.

Éstos son temas públicos en los Estados Unidos, pero habitualmente no mencionados por los medios de prensa en Colombia, un país sometido que quiere hacer de la sumisión una causa nacional.

Según *The Financial Times*, el paquete de lo que se denomina «ayuda» en Washington, ha recibido un fuerte apoyo de muchas empresas que tienen intereses en Colombia o en el suministro de equipos para la guerra. En este campo:

«... los contratistas de defensa y las petroleras son las que más han trabajado por esto, respaldadas por otras compañías con intereses en la economía colombiana.

»United Technologies, una fábrica que casualmente tiene su sede en el Estado natal del congresista Cristopher Dodd, quien apoyó el paquete de ayuda, recibirá unos 234 millones de dólares por la venta de 18 helicópteros Black Hawk Sikorski.

»Según informes publicados —continúa diciendo el diario—, Lockheed Martin ayudó a convencer a la administración de respaldar el paquete, patrocinando una encuesta que demostró que los demócratas estaban a la zaga de los republicanos en la percepción pública de ser "duros contra las drogas". Éste es el fabricante de defensa que recibirá unos 68 millones de dólares por contratos para sistemas de radar de detección temprana.

Por otra parte, analistas estadounidenses sostienen que la guerra de guerrillas y el secuestro son malos para los negocios, particularmente para el del petróleo. Las reservas petroleras colombianas son una preocupación estratégica y primordial para Estados Unidos. Además es una inversión que las compañías no abandonarán fácilmente.

»Según Carwil James, un vocero de la Asociación Comercial Colombo-Estadounidense, que incluye a la Occidental Petroleum, Texaco, British Petroleum, al igual que Caterpillar, Bechtel y Pfizer, le han dicho a Washington que importantes oportunidades comerciales presentes y futuras para firmas estadounidenses se ven amenazadas por el narcotráfico.

»Las petroleras han sido los principales proponentes del Plan Colombia y los principales fundadores de la Asociación Comercial Colombo-Estadounidense, por lo cual Carwil James reveló que existe una estrecha relación entre los militares y las petroleras en Colombia».

Una frase del informe publicado en tres entregas por *The Financial Times*, parece resumir los intereses en juego en esta feria, cuando se refiere a lo que inicialmente llamaban «componente social» del Plan Colombia:

«Aun cuando varias organizaciones no gubernamentales latinoamericanas recibirán fondos, las compañías estadounidenses tendrán la mayor parte del dinero. Un funcionario del gobierno en Washington, dijo: "Nosotros preferimos comprar *americano*".»

Linda Iris, ¿me amas?

Atardecía. Efraín venía de la playa:

—Ajá, Efra. ¿Qué hay?

—Papá, nos encontramos en el camino con la guerrilla pero no nos hicieron nada. Seguimos caminando y vimos luego a la Policía. Tampoco nos hicieron nada.

Mientras habla el niño se escucha un tiroteo. Ráfagas de lado y lado.

En la oscuridad nerviosa de las siete llega Anaxágoras Delgado, el defensor del Pueblo en el puerto. Está asustado, la ropa raída, revolcado, pálido. Dice que ha venido arrastrándose con los codos y los huesos de las rodillas.

—La guerra llegó al pueblo. Están cerca de aquí y hay heridos, te necesito; tú eres el médico.

Un poco más acá de la puerta aún escuchábamos ráfagas, balazos perdidos. Le digo que no es prudente meternos en medio del conflicto antes de que cese la balacera, pero... Pasan algunos minutos.

—Bueno, si hay heridos, como debe haberlos, tienes razón. Tratemos de acercarnos al lugar y busquemos la manera de recogerlos.

Caminamos hasta el hospital en el extremo contrario a la balacera y como allí también han escuchado el tiroteo, está listo el equipo de emergencia: dos médicos, unas pocas camillas, la gente a la expectativa porque calcula que cuando comience el silencio llegarán los pacientes. Hablo con el director y le digo:

—Hombre, hay heridos, pero los heridos están allá, cerca del mar. El tiroteo se escucha en la mancha de bosque que rodea Casaluminio y si no vamos por ellos no hay quién los traiga.

La ambulancia tradicional, una Rover vieja pero en buen estado, no me brindaba mucha garantía: no tenía señales, ni luces de destellos, ni un altavoz, no tenía nada, pero a su lado está guardada en el mismo cobertizo una ambulancia nueva. Ésa sí tiene señales, sirenas, un altavoz potente.

—Déjame llevarla —le digo a Onésimo Pérez, el director del hospital, y luego de un silencio largo, responde:

—No. No puede ser. No está el almacenista para que dé la orden. Tenemos que buscarlo en su casa, pero con esta guerra y esta balacera que no escampa... ¡Ajo!

A eso de las ocho y media logran conseguir al almacenista, han cesado las explosiones, se escuchan todavía disparos, y bueno, aparece Terámenes Vaca, entra lentamente, saca de un cajón las llaves para mover el auto, pero el auto no tiene combustible, está nuevo, ni tiene aceite, y Terámenes pregunta:

—¿Ahora qué?

Y Onésimo le dice:

—¡Anda!, Viejotera, pues inaugurémosla ya: estamos en guerra.

Sacan de la bodega uno de los barriles de gasolina que llegaron en el buque de la mañana y después unas latas de

aceite para el motor, le aplican al vehículo una dosis completa y yo prendo las luces de destellos, le digo a Anaxágoras
que se acomode a mi lado y tomamos lentamente el camino
de la playa. El merequetengue se había formado en Puentebomba, sobre el arroyo Mariamina, dentro del mismo perí-
metro urbano. Diga usted, mil, mil quinientos metros más
allá de la plaza, sobre la carretera que se dirige a Campanaviejo, pero no llega allá. ¡Qué va! Esa carretera no conduce a
ningún lado. La comenzaron a trazar cuando el Plan de Desarrollo del Caribe. Han pasado desde entonces cincuenta años
y han hecho treinta kilómetros, porque, ¿para qué continúan?
Campanaviejo ya no es ningún polo de desarrollo como decían entonces. Campanaviejo es el olvido como todos estos
parajes, sin un acueducto, sin una escuela, sin un alcantarilla-
do, con éste que es el único hospital para atender gentes que
vienen de cien, de doscientas millas náuticas, vienen, digo,
muchas veces a dejarse morir porque hay meses que no tenemos ni una botella de suero para hidratarlos... Por eso estamos en guerra.

Bueno, pues, llegamos cerca de Casaluminio y nada. Silencio en ese momento. La noche muy cerrada. Así es en noviembre. Ni una estrella. El sonido de un mar picado, y más
allá, Puentebomba. Nos acercamos y tan pronto ven la ambulancia, los policías corren hacia nosotros y, «¡Alto, hijueputas!». El cañón de un fusil en mis narices y otro en las de
Anaxágoras.

—Abran la puerta trasera y déjennos subir. Tenemos que
avanzar —dice uno de ellos.

—Yo no puedo hacer eso, es un delito, en derecho internacional se llama perfidia...

—¿Cuál derecho, hijueputa? Estamos en guerra.

—No puedo hacer eso —les digo. Sé que no puedo violar
derechos tan elementales como la dignidad médica, pero ni

es el momento de hablar de esas cosas, ni quiero que me to-
men por subversivo o por auxiliador de la guerrilla, como es
lo usual en estos casos, y prefiero decirles que la ambulancia
es pesada y el puente no podrá resistirla, y mucho menos con
todos ellos dentro.

—Mi plan es dejarla en este mismo sitio y entrar caminando —les digo, tomo el altavoz y se lo alcanzo a Anaxágoras:

—Soy la voz del ciudadano defensor del Pueblo, voy a
entrar al bosque en compañía del doctor Idílides Mena. Pedimos respeto para nuestras vidas, vamos en busca de heridos, vamos a salvar vidas. Pedimos un cese el fuego —dice, y
cuando termina de hablar, nuevamente los cañones de los
fusiles, esta vez contra nuestras espaldas.

—Brazos arriba, contra el árbol. Pies a los lados.

Examinan nuestras ropas, los zapatos, las manos y luego
dicen que han perdido algunos aparatos de radio, algún fusil, unos proveedores y dos hombres: Pérez y Restrepo. Que
los llamemos, que los busquemos.

Encendemos nuestras linternas y atravesamos el puente.
Me pareció el más largo del mundo.

—No disparen, por favor —dice Anaxágoras— estamos
en una misión humanitaria y ta, ta, ta... — toda una alusión a
los derechos de los seres humanos en conflicto.

Luego «Pérez, Restrepo... Pérez, Restrepo, somos Idílides,
el médico, y Anaxágoras, el defensor». Así varias veces. No
respondieron. Allí todo el mundo nos conocía, todos sabían
nuestros nombres, nuestras actividades, pero... Era la guerra,
maestro.

No se escuchan más explosiones ni más balazos. Conti-
nuamos avanzando y alumbrando con las linternas, cuando
en el tronco de un árbol bamba, un tronco con aspas como
hélices que se abren para que el árbol pueda sujetarse mejor a

la tierra en estas zonas de piso blando hasta las cuales llegan la humedad del mar y la del arroyo —las llamamos zonas de estuario—, entre los pliegues de la bamba, decía, vi a un hombre con su fusil, acurrucado, ropa de camuflaje, botas de goma casi hasta las rodillas, una cinta con tres colores en el brazo, mirada de rapiña... Un guerrillero que voltea la cara y dice:

—Idílides, apague la linterna.

Lo miro y lo reconozco inmediatamente. Es Comején, uno de los aserradores de la compañía agrícola. Nunca pensé que fuera guerrillero, ni me imaginé tampoco que la guerrilla estuviera ya en el poblado, un poblado tranquilo donde se pescaba de noche.

—¿Qué sucede? —le pregunto.

—Tenemos un herido y necesito que usted me lo atienda ya. Es una orden —dijo.

La Policía se halla a un kilómetro a nuestras espaldas porque a esa hora Anaxágoras y yo hemos penetrado las líneas de los guerrilleros.

Comején se pone de pies y me dice que es uno de los jefes del comando; a pesar de la sombra le distingo los ojos enrojecidos y una babaza pegajosa que le blanquea los labios a medida que trata de despegarlos. Yo lo veía siempre en el aserradero y los domingos en el pueblo, y en ese momento recordé que permanecía en la puerta de la iglesia pero nunca entraba a misa, y cuando acababa la misa se iba para la playa. Todavía no tenía hidrofobia. «Hombre pacífico. Pacífico y callado», pensaba yo. Cuando cruzaba por el aserradero, algunas veces él salía y saludaba «Doctor, ¿cómo van las cosas en el hospital?». Otras: «¿Esta semana sí tienen algodón y medicamentos para el dolor de cabeza?», decía, y luego se reía porque sabía que lo que estaba diciendo no era irónico. Era la realidad. Ésa es la relación medio familiar, medio pasiva que se va formando en nuestros poblados, donde, generalmente sin saberlo, hay una relación estrecha entre guerrilla y población inerme. Es un fenómeno espontáneo y definitivamente inevitable en este «conflicto», como le dicen en las ciudades. Nosotros lo llamamos «guerra» porque somos los que la vivimos.

Bueno, pues Comején continuó hablando de su herido:

—Se halla muy mal y yo solamente confío en usted, Viejoidílides. Vamos a hacer lo que usted diga —comentó, y le gritó a alguien que estaba en el bosque—: Alisten el bote, que el doctor va palante.

—Hombre, yo no traigo instrumental, ni medicamentos, ni nada —digo, y él responde:

—De acuerdo. Vaya, lo mira y haremos lo que usted diga.

—Pero yo no voy solo. Voy con Anaxágoras.

—Bien. Embárquese con él.

Comenzamos a navegar muy cerca de la playa: «En costa y por derrota», le decían los viejos; a esa hora había un marecito de leva que se acercaba para reventar muy cerca de tierra y más o menos a los quince minutos arrimamos a un barracón escondido entre el bosque de mangles y palmeras. Allí tenían al herido. Cerca de él y en los alrededores vi bastante guerrilla. ¿Cuántos? No sé. Eran bastantes: gente joven, campesinos, pescadores, gente sencilla, elemental, primitiva, con la cara arrugada, reflejo de la seguridad que les da un AK-47 al hombro y un uniforme camuflado. Hoy, cuando la guerra que nos llegó aquella noche ha cumplido, qué sé yo: diez, doce meses, he aprendido que esa seguridad se transforma muy pronto en gonorrea mental. No hay nada más cruel que esa mezcla de fusiles con ignorancia absoluta. Hablo de todos los bandos.

Bueno, pues había bastante guerrilla cuidando al herido y él se veía en pésimas condiciones, tendido sobre unas hojas de palmera, con los intestinos expuestos. Una bala le había

penetrado en la cresta ilíaca posterior; mejor dicho, en el cuadril, como dicen por aquí, o más precisamente, un poco arriba de la nalga, y había aflorado en el vientre dejando a la
vista parte del paquete intestinal. Tenía un dolor intenso, las
vísceras comprimidas en el orificio de salida, la sangre, el calor de la noche, esa humedad condensada, y le digo a Comején, que llegó unos segundos después en otro bote:

—Aquí no puedo hacerle nada a este hombre.

—¿Cómo así? Tú tienes que intervenirlo... Intervenirlo aquí
mismo, Idílides. No hay nada más que hacer. Yo no voy a
arriesgar la vida de ese hombre —respondió y se movió como
un zombi y desaseguró el fusil.

—Por Dios: no tengo ninguna condición, ni técnica, ni fí-
sica, ni de asepsia, ni de antisepsia, ni anímica, ni de nada. Si
lo abro con el cuchillo que me estás mostrando, el paciente se
nos morirá. Aun interviniéndolo en el hospital, es posible que
también se muera. La herida es grave.

El tipo levanta la voz para que los demás lo escuchen:

—Médico Idílides (¿de donde sacarían su hijueputa nombre?), ésta es una orden. Tú lo intervienes... ¡O lo intervienes!
Aquí mismo. Ahora.

Yo también levanto la voz para que los demás escuchen
porque estoy indignado. Conociendo lo que la ciencia indica
en un caso de éstos y tener que aceptar lo que diga la ignorancia apoyada por la fuerza... Entonces le digo en otro tono:

—De acuerdo, pero yo lo responsabilizo a usted de lo que
le suceda a ese hombre. La responsabilidad es suya. Si usted
me obliga, a mí me toca pasarlo por su cuchillo, pero la vida
de ese hombre está en sus manos. Es que si ese guerrillero se
muere, usted me va a asesinar a mí, y yo no quiero ni que él
se muera ni que usted me mate.

El tipo se agachó, dio una vuelta y cuando regresó, me
dijo:

—Perfecto. Lo que usted decida. Dígame qué debemos hacer.

—Llevarlo al hospital.

—Pero ¿cómo? ¿Con ese mar? Y luego en el pueblo la Policía esperando y tan pronto crucemos...

—¿Ese hombre está señalado por las autoridades como guerrillero? ¿Tiene algún antecedente delincuencial?

—No.

—Entonces quítenle esa ropa, vístanlo de civil, póngale en un bolsillo sus documentos de identidad, debe tener cédula de ciudadano y todas esas cosas, y mándenlo. El hospital tiene puerto. Yo regresaré con Anaxágoras en el mismo bote en que vinimos.

—Doctor Idílides, así se hará, pero escuche una cosa: si ese hombre llega a caer en manos de la Policía, su hijo y después su mujer y luego usted me responderán por él. Usted ya sabe a qué me estoy refiriendo —dijo acariciando con el dedo el gatillo del fusil, y les ordenó a los demás—: Cámbienle la ropa.

Pobre tipo. Cambiarle la ropa con los intestinos por fuera, con la herida de atrás que parece la boca de una botella y la de adelante una flor. Unos relinchos y una desesperación, y yo sin poder aplicarle nada porque no hay nada... Un tipo bajo, con la nariz aplastada de nacimiento y encima de la cabeza, una cabeza redonda, él era redondo, los pies se parecían a los de los bancos de carpintería, y en la cabezota, decía, un bucle de grasa como la cresta de *Hércules*, el gallo fino de Terámenes Vaca. Tendrá unos veintidós años, rústico, ordinario como el resto. Se ve que es respetado por los demás; puede ser uno de sus jefes, a juzgar por la preocupación que muestran algunos de ellos. Ni en ese momento ni más tarde quise preguntar por su nombre, asunto de seguridad, pero cuando lo acomodaban dentro de un bote escuché que alguien le dijo Marrana.

Nosotros regresamos en el mismo bote en que habíamos venido. Frente al árbol bamba distinguimos la silueta de dos guerrilleros y empezamos a caminar hasta el punto donde había quedado la ambulancia. Allí nos encontramos con un grupo de personas, mujeres, viejos, niños que, regresando de un paseo a la isla de María Popana, se encontraron con la guerra y se escondieron en el bosque. Cuando los encontramos llevaban sus ollas, sus radios y los fuimos recogiendo como a un rebaño: «Vamos, vamos saliendo». Se vinieron detrás de nosotros aterrorizados y una vez encontramos a la Policía, nuevamente los cañones de los fusiles frente a las narices. Otra vez «Alto, hijueputas». Otra vez «Contra los árboles, malparidos, que los vamos a requisar». Y yo: «Oficial, ¿qué cree que traigo? Soy el médico, usted lo sabe muy bien». Yo estaba vestido con una pantaloneta y una blusa de médico. Esa era mi ropa. Y él: «No, hijueputa, es que se perdieron unos fusiles. ¡Esculquen a este guerrillo y esculquen al resto de los bandidos y requisen todas esas ollas!».

—¿Qué encontró allá? —me pregunta un policía.

—Nada. No encontré ni gente de ustedes ni de los otros. Yo no vi nada. No hay nada.

—Médico hijueputa, pero la guerrilla está allá.

—Pero yo no vi a nadie. Denme permiso que voy para el hospital.

Van siendo más o menos las diez de la noche. Han destruido una parte del poblado, casas sencillas de gente pacífica como nadie, gente dulce, gente buena, gente que no conoce el mal, gente muy pobre. Hay muchos niños muertos, niños con las cabezas aplastadas, desmembrados por esas bombonas de gas que catapultaron contra el cuartel de la Policía, pero con ellas no le pegaron al cuartel sino a las casas de aque-

lla gente... No quiero, me niego a hacer un balance del salvajismo. ¿Qué mal le pueden haber hecho ellos a la guerrilla?

A esa hora ya se escucha uno, y después otro avión fantasma de los gringos que sobrevuela la costa.

—Nos van a bombardear —comenta Anaxágoras, pero el
viejo Lucho Cotes, un borrachito conocido que vive cerca de
la desembocadura del río, sale de entre la gente del paseo y
me dice que en su pequeña radio en banda FM logra oír las
comunicaciones de los aviones.

—Escucha —dice y me acerca la radio al oído. Claro: «Halcón Uno a Halcón Dos, cubro área occidental, voy a descender a tantos pies...», dice, y Halcón Dos responde: «Positivo,
bien, perfecto, ta, ta, ta...».

«Pues claro: la radio nos ayudará a calcular donde van a
lanzar las bombas», pienso. Se trataba de escuchar y luego
correr.

Aquello fue pólvora porque en cosa de segundos todo el
mundo escuchaba la señal ultrasecreta de los aviones de combate de los gringos, y cuando los policías dijeron que quien
no apagara los aparatos de radio era guerrillero, Lucho, el
borrachito, les dijo:

—Señores, las bombas también son pa ustedes, entonces,
pilas con lo que están diciendo: «Alcohol Uno a Alcohol Dos».

Según supimos después, al mismo tiempo en la aldea, una
masa de gente con pánico empezó a correr de un lado a otro:
primero hacia la playa, luego en busca del bosque de palmeras, más tarde hacia el cementerio, hacia el hospital, hacia el
muelle, según lo que fueran escuchando en la radio. Yo digo
que eran pasos de fandango, pero no al compás del porro
sino al compás de la guerra.

Tomo la ambulancia y me voy con luces y con sirenas y
con todo. Cuando llegué al hospital, hallé a los primeros heridos. Bueno, ya no eran heridos sino fantasmas que agoniza-

ban despedazados por las explosiones de las bombonas de gas llenas de pedazos de acero. Eso es salvajismo. Eso es terrorismo.

En la sala de cirugía tenían al comandante Marrana. La Policía no se dio cuenta de su llegada porque lo trasladaron del bote directamente a la entrada de urgencias. Lo vi en muy malas condiciones. Pregunté, me dijeron que sí había sangre Cero Positivo, que era la suya, teníamos líquidos endovenosos para recuperar volemia y ponerlo en las mejores condiciones hemodinámicas antes de intervenirlo. Ingresé con el equipo médico —un médico que me ayudaría durante la cirugía, otro que nos daría la anestesia, una instrumentadora, un medico viejo que estaba allí en caso de ayuda y yo—, entré, digo, a hacer una cirugía de un balazo de fusil en el abdomen que había perforado diez veces el intestino. Pero no eran solamente los huecos sino los quemonazos de la pólvora y todas esas cosas. Además, había lesión de colón. El colon es una víscera difícil de manejar en esas circunstancias. Fue necesario hacerle una colostomía... Estoy hablando de alta cirugía, digo que hecha con las uñas, que es como tenemos que trabajar nosotros en estas lejanías. Mire: el asunto fue tan duro que empezamos a las once de la noche y salimos del quirófano a las siete de la mañana.

Bueno, la historia es que salgo de allí con ese cansancio, con ese agotamiento, abro las puertas y otra vez los fusiles en el pecho:

—Entregue las armas que traía el bandido, y entregue el uniforme, médico hijueputa.

—No sé de armas, no sé de uniformes. Yo estaba haciendo la cirugía de un paciente, no sé si es guerrillero, si es policía, no sé quién es. Es un hombre que llegó con esta camisa y con esta pantaloneta y con esta cédula de identidad. (Se supone que los guerrilleros y los bandidos no llevan documentos de identidad a los asaltos.) Y déjennos pasar porque este paciente está grave.

Voy detrás de la camilla a la zona de recuperación. El tipo continúa bajo los efectos de la anestesia profunda y la Policía encima de nosotros: gorras dentro de la zona de cuidados intensivos, gorras en los pasillos, el hospital rodeado, policías mirándolo a uno como si fuese un malhechor.

—¿Y usted por qué lo ayuda?

—Yo estoy tratando de salvar la vida de un ser humano. Ustedes vieron que estuve cerca de la guerra, luego vine al hospital, me dijeron que uno de los heridos aún estaba vivo y entré a operar, es lo que sé hacer...

Me alejo, tomo un baño y a eso de las ocho de la mañana regreso para ver si el paciente ha despertado de la anestesia y antes de verlo me encuentro con la Fiscalía, con el Servicio Secreto de la Policía, con hombres del Departamento de Seguridad disfrazados de beisbolistas, con la Inteligencia del Ejército, con la Inteligencia de la Armada Nacional, con la Inteligencia de la Fuerza Aérea, todos con cámaras grabando la cara del tipo y el tipo desnudo, en estado de inconsciencia, con apósitos y sondas por todas partes, y además, ellos tomándole huellas dactilares. Les explico que el paciente se encuentra en estado de inconsciencia total y deben esperar a que se recupere, pero ellos dicen a un tiempo que el sujeto es un bandido.

—Lo que sea, pero debe ser tratado como un ser humano. (¿Para qué hablé?)

«Médico tal por cual, médico bandido...» «¿Médico? ¿Quién le dijo médico a este terrorista?».

Me limito a decirles que si lo van a vigilar, pues bien: que lo vigilen sin ostentación de fuerza, sin someter al resto de los pacientes al miedo porque el hospital está totalmente militarizado. A ese hombre costaba trabajo abrirle la boca para echarle un buche de algo. No podía tragar nada.

A las nueve de la mañana el personal paramédico, los de la cocina, los de administración y los del aseo dicen que no trabajan más porque en la aldea se ha regado el cuento de que en cualquier momento la guerrilla vendrá a rescatar a ese hombre con fusiles, con granadas, con más bombonas de gas.

Y la Policía:

—Ese tipo no es de aquí. A ese tipo no lo conoce nadie en este pueblo. Si es una persona honesta, ¿cómo no aparece la familia? ¿Por qué nadie viene a preguntar qué le sucedió? ¡Él es un terrorista!

Diez de la mañana:

—Doctor, tiene que presentarse ante la Fiscalía General de la Nación.

Llego allí como cualquier delincuente, comparezco ante un fiscal y le digo que así como él está cumpliendo con su deber, yo también. El hombre me mira de pies a cabeza, sonríe con esa sonrisa de perdonavidas de los fiscales y empieza el interrogatorio. Por lo que dice desde el comienzo, yo interpreto que él ha partido de la hipótesis y del convencimiento y de, carajo, de la seguridad de que yo soy un delincuente que no ha intentado salvar una vida sino de colaborar con la guerrilla. Le digo que no sé cómo se llama ese hombre, cuando lo vi en el quirófano no estaba armado, no estaba uniformado, se hallaba desnudo, en el hospital habían dejado un documento que lo identificaba como Fulano de Tal, yo nunca lo había visto por aquí, es que cuando se trata de salvar una vida, el médico no pregunta nada... Un interrogatorio de tres horas, con ese calor, en una pequeña bodega de papeles viejos debajo de un ventilador con unas aspas que se ahogaban, con un fiscal que se pasaba por la cara un pañuelo percudido con líneas rojas y moradas, que no era pañuelo sino una esponja cargada de sudor y el sudor me chispeaba en la cara y en los brazos cada vez que él lo sacudía antes de frotarse la frente; ese fiscal no era de aquí, lo habían mandado de la capital y a mí me parece que quería descargar encima de mi cabeza la ansiedad que le producía el calor: hombre de tierra fría. Y, además, hombre flojo, pero acometía sin descanso: que si usted le vio callos en las manos, que si tiene en los hombros huellas de las correas con que cargan sus enjalmas de fuerza, que si los dedos son los de un labriego. La verdad es que el paciente tenía las uñas brillantes, un camaján, un chulo de barrio pobre. ¿Y en las manos? Hombre, la enfermera tenía más callos que él. Lo que se le veía era una cicatriz en el abdomen.

—¿Cicatriz de balazo? O de intervención quirúrgica: dígalo ya.

Un policía secreto saca la cabeza de detrás de un arrume de papeles, y dice:

—Sí, ése es alias La Marrana, porque alias La Marrana tiene una cicatriz en la barriga.

—La que le vi en el quirófano es al parecer la huella de una cirugía de hernia, pero yo no puedo decir que sea una lesión con arma cortante. Él tiene una cicatriz quirúrgica de algo que no puedo precisar. Es que yo no he escuchado siquiera su voz. Ese hombre ha estado anestesiado todo el tiempo.

—Bueno, pues la Fiscalía va a interrogarlo.

—El paciente no está en condiciones médicas para ser interrogado, primero porque está bajo el efecto de narcóticos y sedantes; segundo, porque está recuperándose de una cirugía crítica.

Pasaron un día, dos días y nadie vino a preguntar por el poseso y la Policía permanecía rodeando ese hospital. Yo entraba a hacerle curaciones al tipo y las caras de roca de los policías asomaban por encima del biombo y de las cortinas observando qué iba hacer yo, y cuando yo los volvía a mirar se escurrían formando combas en la tela hasta llegar al suelo.

Ahí se transformaban en siluetas de sombras que se quedaban quietas un pedazo de minuto y nuevamente se convertían en combas y otra vez veíamos allá arriba las caras.

—Pónganse ustedes en el caso de este herido: ¿a ustedes les gustaría que yo estuviera curándolos y todo el mundo estuviera mirando el espectáculo? Por favor, un poco de respeto, caballeros.

El comandante Marrana me miraba con ojos de vidrio y cuando desaparecían las caras allá arriba me hacía una mueca para que acercara el oído y me preguntaba cómo iba a salir de allí. Decía que tenía que partir.

—Usted ahora no puede ni caminar. Quédese tranquilo.

—Ah, a mí me olvidaron. Me dejaron solo.

En esos casos yo guardaba silencio. Mi problema era salvarle la vida a él y por ahí derecho a mi hijo y a mi mujer, y desde luego la mía.

Una mañana escuché al encargado del radioteléfono:

—Doctor Idílides Mena, doctor Idílides, una llamada de Bosconia.

—Docto, llamo a preguntar por el paciente Marrana. Yo soy la señora de él.

La mujer lloraba y todos los policías y todos los pacientes y todo el mundo escuchaba porque el aparato está en el puesto de enfermería.

—Docto, yo soy la mujer de Juan La Marrana y me han dicho que él sufrió una herida. ¿Fue un accidente? ¿Qué le sucedió? Quiero saber cómo está él. Yo me hallo en el Cesar, nosotros somos de aquí y él se fue hace días y hasta hora me han dado esa noticia. Dime cómo está él.

A mí me sorprendió la comunicación.

—Mira: más que de salud, él tiene problemas de tipo judicial porque es un herido en medio de una zona de combate y la Policía está aquí y necesitan información. Qué bueno que llamas.

Entonces me dijo:

—¿Sí? Hombre. Mira una cosa, docto, yo llego allá mañana. ¿Cómo van a decir que mi esposo es un guerrillero? Yo aquí tengo certificados y declaraciones de toda la población de Bosconia conseguidos por el personero municipal, donde consta y hay firmas de que mi marido es un trabajador que se fue por esos lados a conseguir mano de obra para traerla.

—Bueno, vente que aquí estamos esperándote.

Al día siguiente llegó una avioneta rentada, asunto muy especial la llegada de una nave por estos lados, y de la avioneta se bajó una mujer y se vino a un hotel y de allí me mandaron decir que ya estaba aquí la señora de Marrana, que estaba en tal parte, que fuera. Voy y me encuentro con una mujer delgada, vivaz, altiva, quiero decir, sin miedo aparente. Me llamó mucho la atención su seguridad porque, maestro, se necesita valor para aparecerse con ese cuento en plena guerra.

—Hola, ¿tú hablaste ayer conmigo?

—Sí, docto; yo vengo a frentiar este asunto, a darle la cara al toro.

—¿Qué vas a frentiar? ¿Cómo lo vas a frentiar?

—Pues yo traigo todos los papeles que me identifican a mí, y traigo esta constancia de Bosconia y otra de Codazzi donde la gente dice que lo conoce como trabajador de algodón y de maíz... Como gente del campo.

—Un momento: cuéntame la historia bien contada.

—Ah, pues. Yo tengo la misión de hacerme reconocer como la señora de él. A mí me pagan un dinerito, y ya.

No era fea. La piel de mango por estos soles y el pelo rojo pero un rojo desteñido y opaco que bajaba un poco más de las orejas y, hombre, delgada, cintura apretada y nalgas tipo pera; cadera de hoyito, pierna larga. Dijo que se llamaba Linda Iris y se lo creí. Así tenía que ser. Así se llama la gente en estos rincones del mundo.

—En Bosconia dejé a mi hijo solo. Una señora se encargará de cuidarlo.

Mujer del campo y un poco de la ciudad. Al fin y al cabo carne de guerra. Valiente como todas ellas.

—¿Qué tengo que hacer docto?

—Tú eres quien tiene que decirme por dónde vas a comenzar. Te van a llamar los de la Fiscalía, los de la Policía...

—No. Que no me llamen. Yo voy a presentarme antes de que me llamen. Les voy a entregar todos estos papeles y luego el cuento de mi señor. Pero... Oiga docto: ese man no me conoce a mí. Él nunca me ha visto. Voy a decir que tengo un hijo, porque tengo un hijo, pero él no sabe que tengo un hijo ¿Me entiendes? Yo tengo que decirle a él cómo se llama y que edad tiene.

—Pero tú vas a tener a la Policía encima y no te van a dejar que hables nada con él. Cuando llegues tienes que abrazarlo, besarlo y todo eso. La Policía va a estar observando si hay afecto.

—Pero docto: tú tienes que ayudarme. Por lo menos dile cómo me llamo yo y dile cómo se llama el niño porque a él se lo van a preguntar después. Ayúdame en eso.

Nada que hacer. Me voy a hablar con él. El tipo no está del todo consciente y solamente trata de hablar conmigo porque desconfía de los demás, y cuando entro, me acerco para hacerle una curación y le digo:

—Ha llegado una mujer con la misión de jugar a que es tu señora. Se llama Linda Iris y ustedes tienen un hijo: Fulton Efrey, tres años.

Pero el tipo está bajo el efecto de la droga y no puede retener nombres, detalles...

—¿Cómo se llama el niño? Que le cambien ese hijueputa nombre porque es muy difícil —me dice.

—Bueno, que se llame Remberto, ¿bien?

—Remberto. Rem-ber-to. Bien.

En medio de la curación le repito varias veces lo mismo, le describo a Linda Iris, ojos de puma, pómulos redondos, dos toronjas de exportación debajo de las clavículas... Lo que iba a ver desde esa cama.

—Cuando se encuentren llora, desmáyate, haz cualquier cosa pero, carajo, muestra que sientes algo, por favor.

Regreso y le cambio el nombre a Fulton Efrey y ella se viene para el hospital. Tratan de agarrarla a la entrada:

—¿Por qué? ¿Acaso soy una delincuente? Yo vengo a ver a mi señor.

—Sí, a verlo pero primero tienes que responder ante la Policía Secreta y después ante el fiscal.

Y comienza el paseo. Que usted quién es, que hace cuánto se casó con él, y el nombre del hijo y la edad del hijo, que dónde viven, bueno: toda la historia. La mujer traía su cuento aprendido, sus papeles, que si el personero de Codazzi, que si el alcalde de Bosconia, firmas de trabajadores, de labriegos.

Y el capitán de la Policía:

—Doctor, ¿cómo le parece? Que dizque es su mujer.

—Yo de eso no sé nada. Los que tienen duda son ustedes.

—¿Duda? Es que ella no es la mujer y usted puede parar en el infierno si no se viene a jugar con nuestro equipo.

—Yo tengo la camiseta de la vida. Soy médico.

—¿Médico?

Después de que la interrogan le permiten hablar con él, siempre bajo la mirada de dos hombres de Inteligencia Policial que buscan cómo lo mira ella, cómo la mira él. Ella llega y hace una escena de telenovela: lágrimas, babas. Apenas lo vio se le abalanzó y en medio del zangoloteo y del meneo y de los besos le coloca un codo sobre la herida y el tipo lanza un grito que se escucha en todo el hospital y claro, todo el hospital corre hacia allá. ¿Qué pasó? ¿Qué sucedió? La sicósis de la gente, la guerra ¿Lo mataron? ¿Lo destriparon? Finalmente el tipo sí lloró: «Ay, mi estómago, mi pecho», y ella «Ay, mi amor, vamos a salir adelante», y el niño y el trabajo y el cuento.

El fiscal había dejado las prendas del herido en su despacho y esa tarde me hizo acudir nuevamente.

—Doctor Idílides, vamos a ampliar su declaración. ¿Cómo fue la entrada de la bala? ¿Por donde entró? Muéstreme el sitio del impacto en su propio cuerpo para ilustrarnos, por favor. ¿Y por dónde salió la bala? Ah, ahora repita con el dedo a qué nivel fue la herida.

Hice mi representación, expliqué mis cosas y él se quedó mirándome unos cuantos minutos, y dijo:

—Perfecto, magnífica explicación doctor Idílides, pero, ¿por qué ni la camisa, ni la pantaloneta tienen huecos, orificios, cavidades, a-gu-je-ros? Explíquemelo bien, doctor. Tómese todo su tiempo: ¿a-gu-je-ros?

Unos segundos de silencio y otra embestida:

—Cómo explica usted, doctor Idílides Mena, que por lo menos la pantaloneta del acusado no presente huecos, o-ri-ficios, ca-vi-da-des, ¿agujeros?

—No lo sé, señor fiscal. No lo sé.

Me queda retumbando el asunto y voy al hospital.

—Maestro, ¿cómo justificamos que la bala no haya roto la ropa con que llegaste esa noche?

Pienso un poco y, claro:

—Lo único que se puede decir es que estabas defecando. Vienes de un paseo, has comido bastante y como el estómago no da espera, entras al bosque, te bajas la pantaloneta y cuando estás en tus angustias escuchas un balazo.

—Sí doctor, ésa es la historia —dice el hombre.

—No hay otra. Si no la recitas cuando te llame el fiscal a declarar, los dos iremos a parar al infierno.

Ésa fue la historia.

El hombre va recuperándose tórpidamente porque, pues la nutrición después de un procedimiento quirúrgico de esos tiene que ser especializada, cuidados intensivos, sostenimiento respiratorio, mil cosas con que no contamos allá. Allá no hay de eso. Y la Policía presionaba cada vez más. Un cerco, una de preguntas, de requisas. Ya no daban ganas de entrar al hospital. A mí me seguían por el pueblo. A cada paso que daba llevaba a un hombre de la Policía Secreta detrás, sonriendo con aire de burla unas veces, de desafío otras.

—Médico, ¿en qué anda usted? —me decían y yo aparentemente tranquilo:

—Estoy cumpliendo con mi deber. Soy médico.

Pero a la vez comienza la presión del hospital, los médicos, las enfermeras:

—Idílides, ¿qué hacemos con este hombre? Cualquier noche viene la guerrilla y lo saca y hay una matanza. En el pueblo se oye que van a entrar por él a sangre y bombonas de gas.

«Aquí la única salida es remitirlo a un hospital de la capital. Yo lo remito, tengo suficientes motivos médicos y salgo de él», pensé una mañana.

Linda Iris iba todos los días, le llevaba cositas, le llevaba calcetines, «Cómo tiene los pies de fríos, mi negro», le daba besos y el tipo frente a una mujer que en su vida jamás había visto le hacía unas caras... La mujer pasaba diariamente algunas horas allí y luego se marchaba al hotelillo porque la Policía andaba a su lado. Algunas veces salía a hacer diligencias a la Fiscalía, adonde Anaxágoras porque él como defensor del Pueblo, abrió los ojos y él le ayudó mucho:

—Vamos adonde el fiscal, mire que ella tiene aquí los documentos, mire que esto es del personero de Codazzi, mire que éstas son firmas reconocidas, el tipo es un labriego que cayó en medio de la balacera como hubiese podido caer cualquiera de nosotros.

Es que Anaxágoras también cargaba con la amenaza de muerte sobre sus hombros. La guerra es así. ¿Cómo puede uno andar entre un acuario sin mojarse?

Durante todo este tiempo, Comején, el hombre de la guerrilla, me llamaba al teléfono celular: «¿Cómo va el enfermo? ¿Podemos ir por él?».

—Esta noche iremos por él —me dijo un día y le respondí:

—Será un lío porque el hombre no puede caminar. Sacar a ese herido del hospital es un suicidio. Déjelo que se recupere, o por lo menos déjeme que yo lo ponga en un lugar del que ustedes lo puedan sacar con mayor facilidad, pero es locura tratar de rescatarlo del cerco policial.

—Bueno, médico, lo que usted decida, pero piense en la vida de su hijo y de su mujer. Díganos con tiempo en qué lo va a sacar y cuándo para montar un operativo de rescate.

El martes temprano decidí remitirlo.

—Este paciente se va mañana para la capital —digo, y al minuto me llama la Policía:

—Doctor, usted no puede sacar a ese paciente así. Nosotros tenemos que montar primero todo un operativo para llevarlo del hospital a la pista de aviación porque en cualquier momento pueden atacarnos.

Le respondí:

—Perfecto. Mañana viene un avión oficial al mediodía, monten el operativo para esa hora.

Cuando escucharon aquello citaron a un consejo de seguridad: el alcalde, el comandante del puesto naval, el jefe de la

Policía. Humo gris primero porque alguien opinó que no, pero humo blanco después porque el alcalde dijo:

—Salgamos rápido de esa culebra mapaná: que se la lleven de aquí. Que se la lleven.

Pero ya por la tarde me dicen que el avión oficial no puede llevarse al paciente porque solamente le caben personas sentadas y que acostado ni pensarlo:

—La nave es estrecha, doctor, no cabe a lo ancho.

—¿Qué puedo hacer? —le pregunto al hombre de la compañía oficial y me dice que va a pensarlo.

Y lo pensó porque en cosa de dos horas me llamó:

—Doctor, mañana a las ocho llegará un avión carguero cón unos aparejos para la compañía pesquera y, cosa rápida, debe estar listo para despegar nuevamente a las nueve o diez. Ése es el suyo.

«Claro. Mando al guerrillero y de una vez remito a un viejito de setenta años que se cayó y tiene un trauma craneoencefálico, y hay una señora con una insuficiencia renal que está inflamada como una gota de agua y también podemos aprovechar para remitirla al hospital universitario en la capital», pensé y me fui a buscar a los de la compañía pesquera.

—Con mucho gusto los llevamos. Colóquelos mañana en la pista —dijo un ingeniero.

Me olvidé del compromiso de sacarlo en la compañía oficial, o no pensé en que cambiar el tipo de transporte implicaría problemas de seguridad. Amaneció, pedí la ambulancia del hospital, «Por favor llévenme a esos tres pacientes a la pista que ya llegó el carguero», los acomodan en la ambulancia, los llevamos al lugar, los subimos al avión, me subo con ellos, el avión se pone en marcha buscando la cabecera de la pista y cuando estamos allí, asoma la Policía en un operativo como los de las películas gringas: autos a la pista, sirenas, luces de destellos, hombres que sacan el cuerpo y los fusiles por las ventanas, gritos, polvareda. Toda esa parafernalia atraviesa de lado a lado y se asoma el comandante con sus anteojos de espejo, un chaleco de la FBI de los Estados Unidos, la gorra asegurada debajo de la quijada con una correa, y una ametralladora en una mano y una granada en la otra.

—Policía de Colombia, detengan el avión.

Después voltea la cara y se dirige a sus hombres con su acento de cumbia:

—*Gou, gou, gou.*

Va gritando y dirigiéndolos con el cañón de la ametralladora, y ellos van cerrando un cerco en torno a la nave que en ese momento detiene sus motores.

Abren la puerta del avión y el capitán levanta su ametralladora:

—¡Que saquen al médico!

Salgo.

—Hijueputa, usted no puede hacer aquí lo que le venga en gana. Nosotros somos la autoridad.

—Ajá. ¿Y qué pasó?

—Teníamos un compromiso y usted lo ha violado. El que no está conmigo está contra mí. Usted trabaja para el terrorismo.

—A mí me dijeron que la compañía oficial no podía llevar a los pacientes y la pesquera aceptó trasladarlos. ¿Qué hago? A mí lo que me interesa es la vida de esta gente.

—No es así. Cuando se mueve de sitio a un terrorista uno tiene que montar un operativo de Fuerza Especial.

—Móntenlo.

—Ese avión no se va.

Detienen el avión y el piloto me dice:

—Doctor, estamos dispuestos a servir, pero tenemos otros itinerarios, debo ir a Bogotá, a Cali, a Medellín y mire usted: los policías paran el avión aquí por esa gente. Doctor, qué pena pero ordene bajar a sus pacientes.

Tomo mi celular, simulo que me comunico con el hospital universitario en la capital y digo en voz alta:

—Hombre, aquí estamos para salvar a la gente pero parece que hay otros intereses por encima de la vida humana. Los pacientes ya no viajan. La Policía no los deja salir.

Luego me comunico con el hospital del pueblo:

—Mándenme la ambulancia para regresar a los pacientes. Cualquier cosa que les suceda, yo responsabilizo al capitán de la Policía que en este momento se halla frente a mí.

El capitán se quita los espejos:

—No. No, doctor. Párela ahí. Párela ahí. Esto lo podemos arreglar. Lo que sucede, doctor, es que yo no tengo listos a los dos hombres que debo mandar con ese sujeto, porque como todo estaba previsto para las once y usted no advirtió, y apenas son las nueve y media y hay que darles dinero para el viaje, y tampoco tienen sus maletas listas a esta hora...

—Bueno, pues que se vengan ya.

El capitán habla inmediatamente por radio:

—¿Dónde están esos maricas? Que se vengan, que deben salir ya.

Llegaron corriendo:

—Ah, doctor, con que nos iba a dejar, ¿verdad?

—No, fue un cambio de avión. Yo lo que quiero es evacuar a esta gente. Mire cómo está de tensa la aldea.

Y en ese calor del Caribe, un día sin brisa, Linda Iris, coloca unos calcetines a su marido porque tenía los pies muy fríos, y el capitán de la Policía codeando al teniente:

—¿Vos crees que esa perra sea la mujer del man?

Luego me mira:

—Usted qué opina, médico. ¿Serán marido y mujer?

El avión despegó conmigo, con un enfermero, Linda Iris y los tres pacientes. Aterrizamos en la capital y yo traía la esperanza, tal como me lo habían anunciado, de encontrar en el aeropuerto ambulancias para trasladarlos al hospital universitario, pero los que me estaban esperando eran la Policía Secreta, el servicio de Inteligencia del Ejército, gente del Departamento de Seguridad disfrazados de beisbolistas, todos muy a lo colombiano, es decir, alardeando con ametralladoras, fusiles, pistolas, granadas. Los servicios de seguridad de este país no saben qué significa discreción. No. Aquí todo es a la brava. Bueno, apenas ven que abren la puerta y yo salgo, se vienen:

—Hijueputa, ¿usted es el que trae a los terroristas? Entréguelos.

—Yo no traigo terroristas. Traigo tres pacientes: uno con una herida de bala, otro con una lesión cráneoencefálica y una señora con insuficiencia renal.

—Entréguenos a esos terroristas.

—¿Ustedes creen que ese viejito puede ser un terrorista? ¿Que esa señora en ese estado de salud puede ser terrorista?

—No, hablo del herido.

—Para mí es un paciente y hasta donde sé nadie le ha podido comprobar nada diferente a que está herido, y la orden que yo traigo es que aquí haya una ambulancia esperándolos a ellos para llevarlos al hospital. Hasta que eso no suceda, yo no entrego a los pacientes.

Ellos no entienden que la vida tenga algún valor y mientras la discusión y la puja y la demora y la cosa, el capitán del avión:

—Doctor yo tengo un itinerario, esta es una compañía comercial, baje a esa gente.

—Pero, ¿adónde los llevo? ¿Dónde los acuesto?

Tomo el teléfono y llamo al hospital de mi pueblo:

—¿Qué paso con al ambulancia? No está esperándonos. Comuníquense con el hospital universitario, por favor.

Responden más tarde:

—No hay ambulancia.

El del avión me dice:

—Bueno, médico, yo me voy, bajen a esa gente, tírenla donde sea pero bájense todos.

Y yo le digo al enfermero:

—Abel, tome usted a la señora y llévela al Hospital San Juan de Dios, tome este billete para pagar el taxi.

No me queda otro camino que recurrir a los servicios de Inteligencia:

—No tengo ambulancia, no tengo nada. ¿Por qué no nos llevan al hospital universitario?

—Sí claro. Llévelos hasta ese camión.

—Yo solo no puedo cargarlos ¿Por qué no me ayudan?

Vienen cuatro policías y los agarran por el pelo y las piernas a uno, por los brazos y el vientre al otro y los descargan en un camión para transporte de tropa con sillas de lona a los lados, pero los acomodan en el piso, uno sobre el otro y ellos se sientan en las bancas. Los pies de los pacientes quedaron por fuera del camión, en el aire, descalzos, atravesando la ciudad por las principales avenidas. Todos uniformados menos el médico, entonces la gente, el que iba detrás en un auto, los pasajeros de los autobuses, las gentes en los semáforos veían un camión de la Policía con cuatro pies que se asomaban y un tipo de civil sujetándolos para que no resbalaran al vacío: «Llevan a dos muertos y al que los mató», me imagino que pensaban. Y los de la Policía Secreta que venían con nosotros en el avión:

—Médico, ¿usted cree que esa perra sea la mujer del guerrillero?

Así por todo Bogotá hasta llegar al hospital.

En el hospital:

—Yo soy el médico que viene del Caribe, hago entrega de este viejito que se cayó y se lesionó el cráneo, de esta señora con sus riñones así y asá, y de este hombre...

—¿Qué le sucedió a ese hombre? —lo miran, lo observan—. ¿Quién lo intervino?

—Yo. En estos documentos dice por qué viene remitido.

Y los dos de la Policía:

—Venga, hagamos entrega del prisionero.

Se acerca un joven con nariz de pájaro corretroncos, pelo ordenado, zapatos brillantes, firma un papel y se queda mirando a Linda Iris y Linda Iris lo mira igual. Los policías secretos:

—Doctor, ahí tiene a la señora del hombre: discreta, ¿verdad?

¡Y el hombre! En ese momento, el hombre parecía agonizar sin una queja: no sé cuantos kilómetros soportando el zangoloteo del camión, un camión de campaña, duro, con piso de lámina de acero, con el viejito encima, con los pies de algunos Policías machacándole el envoltorio de pellejo que le forraba las piernas, sin abrigo en el viento helado de esa ciudad... Total que lo hospitalizan y se lo entregan en custodia a Corretroncos, y Linda Iris dice alargando esa boca besadora: «Doctor, aquí me quedo con mi señor», y yo los dejo y me voy en busca de habitación en un hotelillo del centro de la ciudad.

Transcurrió el tiempo y a los seis meses o algo así, de regreso al hospital universitario, en la lengua de cada médico y de cada enfermera que cruzaba por esos corredores de cemento anémico, supe que la recuperación del comandante Marrana fue muy, muy lenta, pero el vínculo de Linda Iris no cambió nunca con él: ella permanecía a su lado, lo atendía, lo cuidaba desde muy temprano en la mañana y por aquello de los reglamentos hospitalarios, debía retirarse antes de que se acabara el día. Un poco después, a las seis de la tarde, Corretroncos era relevado por otro policía y a partir de ahí se reunía con Linda Iris, y Linda Iris empezó a ensayar la vida con él. Ella nunca se había enamorado. También estaba ensayando el amor. El hijo había sido uno de aquellos accidentes que viene de pronto; recuerdo de algún hombre que cuando la vio embarazada desapareció, y ahora ella no tenía tanta prisa por regresar al Caribe porque, al fin y al cabo, el muchacho ya era un hombre. Aquí los niños no tienen niñez: a los siete deben trabajar y deben pensar como hombres.

Para no ir muy lejos, el ensayo de amor le gustó tanto que llegó a volvérsele un arrebato que no le dejaba en paz ni la vida, ni la paciencia, ni el carácter, porque a toda hora, en ese hospital y luego caminando por las calles para «matar» el tiempo y esperar a que anocheciera y ya de noche recorrer el camino hasta donde vivía y esperar allí al tipo... Mejor dicho, en todo momento quería estar con Corretroncos.

Pero Corretroncos, que había tomado las cosas con calma, una noche le preguntó:

—Linda Iris, ¿usted me quiere?

Y ella respondió:

—¿Us-ted?

—Bueno: ¿TÚ me amas?

—Sí. ¿Por qué me lo preguntas después de tantas...?

—Porque tú eres una mujer casada y yo me siento mal haciendo esto; esto no puede ser. Dime la verdad, ¿qué hay detrás de todo esto?

Y ella que estaba muy enamorada y muy entregada dio dos pasos abandonado la pequeña estufa donde hacía café. Él estaba sentado en el filo de la cama. Ella se arrodilló en el suelo, tomo sus manos entre las suyas y le dijo ajustando aún más la reja de sus dedos:

—Te voy a contar la verdad: a mí me dieron un dinero para que acompañara a este hombre, pero yo al que quiero es a ti. Yo no soy ni su mujer, ni tampoco una guerrillera; mi problema era la miseria y gracias a aquel dinerito no morí de hambre. Tú lo has visto: no soy una delincuente; soy una mujer fiel, decente, pacífica. Eres el único hombre que he amado.

Un poco antes de que amaneciera, el agente Corretroncos se despidió de ella, pero una hora después regresó arropado por una patrulla de la Policía que la sacó de su vivienda arrastrándola por el cabello.

Linda Iris recibió una condena de diez años de cárcel.

El botín

Con el fondo de las Torres Gemelas destruidas, el secretario de Estado, Colin Powell, recordó que tanto la guerrilla FARC como el ELN y sus enemigos, los grupos paramilitares de Colombia, estaban catalogados por los Estados Unidos como organizaciones terroristas.

Luego vinieron frases que reflejaban el nuevo orden mundial, surgido la mañana del 11 de septiembre del Dos Mil Uno, y el viraje en la perspectiva del conflicto colombiano.

Dick Cheney, vicepresidente de Estados Unidos, fue uno de los primeros en dejar en claro la nueva posición de su país: «Cualquier santuario terrorista será para nosotros un objetivo. Iremos agresivamente contra estos grupos terroristas. Los países deben comprender que si les otorgan «santuarios», deberán enfrentar la cólera de los Estados Unidos».

Antes de finalizar su campaña política, tras perder las elecciones en la primera vuelta, las FARC —el grupo guerrillero más numeroso de Colombia— le exigieron al presidente Andrés Pastrana que le entregara el control de un territorio mil

kilómetros cuadrados más extenso que Suiza para acceder a
hablar con él de paz, y Pastrana dijo sí. Y la guerrilla le exigió
evacuar de allí a los militares y a los policías y a los fiscales y
a los jueces; a todo aquello que oliera a Estado, y el Presidente evacuó de allí a todo lo que oliera a Estado: 42 mil kilómetros cuadrados, doce mil más que Bélgica.

Cuando llegó al poder, Pastrana dijo que aquello se lla-
maría Zona de Despeje, que según Tirofijo significaba zona
desmilitarizada, pero el día que el Presidente fue a inaugu-
rarla, la guerrilla hizo desfilar frente a él a dos mil hombres
vestidos con ropa de camuflaje, arneses cargados de balas
sobre el pecho y un armamento que, según los expertos, era
superior al del Ejército Nacional.

Esa mañana, en el lugar previsto y a la hora anunciada,
el Presidente Pastrana subió a un estrado, pero Tirofijo —como
le dicen al jefe de las FARC— Tirofijo no asistió, y el Presidente de la República se quedó solitario en el proscenio frente a
un auditorio de ancianos ilustres que fueron llevados en varios aviones, tocados con corroscas —sombreros típicos— y
en la copa de las corroscas, cintas con los colores de la ban-
dera de Colombia.

Aquel nuevo Estado dentro de Colombia se llama Zona
de Paz, Zona de Despeje o El Caguán, en alusión a un río
portentoso que corre a través de la selva. De acuerdo con la
Fiscalía General de la Nación y con voceros del mismo gobierno que se reúne con ellos semanalmente, a mediados del
Dos Mil Uno, en aquella Zona de Paz, la guerrilla tenía seres
secuestrados, informó el Congreso, y según las compañías de
seguros, en ella permanecían cinco mil camionetas de doble
tracción robadas en Colombia.

En la Zona de Despeje la guerrilla dicta lo que ellos llaman «leyes». Una de ellas dice que quien no acceda al chantaje será secuestrado.

Hasta entonces la zona había sido visitada por miembros del grupo terrorista IRA de Irlanda (han capturado a tres). De acuerdo con inteligencia militar y la Policía española, por delegados de ETA, la banda terrorista vasca. Y según el FBI, por delegados del grupo terrorista libanés Hezbolá.

Y habían estado de visita no oficial, no consultada, no conocida en su momento por el gobierno colombiano, militares de la república vecina de Venezuela, y en visita oficial el presidente de Wall Street, quien llevó como ayudante al ministro de Economía de Colombia, congresistas estadounidenses, embajadores de gobiernos europeos. Estuvo también la reina de Jordania, de donde le habían mandado a Tirofijo miles de armas a través de traficantes internacionales.

Según lo declaró uno de los voceros oficiales de la guerrilla llamado Simón Trinidad, «Hoy somos un Estado en el cual, los miembros de organismos y gobiernos extranjeros que lleguen a Colombia, así como le piden autorización al gobierno colombiano se la deben solicitar a la guerrilla. ¿Por qué? Porque nosotros vamos a gobernar. No a cogobernar sino a gober-nar». Declaraciones públicas ante las cuales el presidente de la República guardó silencio.

Pero además de todo, la Zona de Despeje ocupa un área estratégica singular. A partir de allí, según servicios de inteligencia, a mediados del año Dos Mil Uno la guerrilla tenía salida desde allí a tres mares. En primer lugar, navegando por los caudalosos ríos selváticos hay acceso al Amazonas, y a través de éste, al océano Atlántico. Segundo: a través del río Orinoco —otro monstruo—, al mar Caribe. Y tercero: desde cuando el Presidente de la República les entregó el control sobre la Zona, la guerrilla ha logrado montar una infraestructura importante con maquinaria pesada robada al Estado colombiano y eso les ha permitido construir carreteables selváticos. Los caminos de la selva son invisibles. Para construirlos,

derriban la vegetación baja pero dejan intactos los árboles,
cuyas copas se apretujan impidiendo el paso de la luz. Una
vez fuera de la Zona, aquellos caminos están conectados a
vías ya existentes dentro de zonas productoras de cocaína y
heroína, también controladas por ellos. A finales del año Dos
Mil, la guerrilla tenía cuatro vías de acceso rápido al océano
Pacífico, por el cual sacan droga y entran armas, explosivos y
cuanto debe ser transportado para una guerra.

Mirando hacia un cuarto punto cardinal, han ejecutado la
construcción de un camino que comunica en pocas horas la
Zona con Bogotá, la capital.

Una historia aparte es el mundo subterráneo que horada
cada mes mayores áreas de fortificación antiaérea y antiterres-
tre, a manera de catacumbas, como en Vietnam o como en Cuba,
según los mismos servicios de inteligencia del Estado.

Refiriéndose a este tipo de territorios, los estadounidenses han comenzado a hablar de «santuarios», posiblemente
para referirse a refugios, y en Colombia, país original, aunque la gente no comprende la semántica que quiere dársele al
español en Manhattan, cree que suena muy bella. No obstante, en nuestro idioma *santuario* tiene una connotación absolutamente diferente, pero los colombianos han decidido
olvidarse de la Virgen Santísima y del Señor de Monserrate y
recitan «santuario» sin advertir que desde cuando apareció
el embrión de esta guerrilla —uno de los tres grupos terroristas de Colombia en el nuevo orden mundial—, a eso se le ha
llamado *Repúblicas Independientes*.

«No distinguiremos entre quienes cometan actos terroristas y quienes los protejan», repitió en diferentes escenarios
Donald Rumsfeld, secretario de Defensa, y Henry Kissinger
dijo: «Debemos reservarnos el derecho de atacar, sin consul-
ta previa, estas bases terroristas y las instituciones que las
apoyan».

Frase común en los diarios y revistas de Colombia: «Pidió no citar su nombre». Los informativos de televisión muestran siluetas de personas que hablan en contraluz para proteger su identidad. La opinión pública es opinión atemorizada. Cuando pregunto qué piensa la gente en torno a lo que sucede en el país, recibo casi siempre ese «No escriba mi nombre, protéjame». Luego lo explican:

—Deseo decir lo que pienso pero temo que me maten.

—¿Quién?

—Los cuerpos armados del Estado.

—¿Cuáles?

—Todos.

—¿Todos?

—Sí. Todos. Pero además de los del gobierno, los guerrilleros o los paramilitares pueden matarme.

Cuando la gente se mueve a niveles destacados de la vida nacional, el temor es otro. Dos generales retirados del Ejército, dos empresarios, tres ex ministros, tres congresistas de la oposición y varios intelectuales consultados durante el trabajo de campo de este libro coincidieron en algo que en otros países podría parecer un clisé:

—Temo que me calumnien. Me da miedo que me quiten la honra.

—¿Quién?

—Los del gobierno, los de la embajada, los militares, los policías.

En Colombia el criterio independiente, cualquier posición crítica ante el conflicto o frente a los intereses que estimulan la intensidad de la guerra, representa para el establecimiento, y en forma especial para los cuerpos armados del Estado, una amenaza mayor.

Costumbre que ellos aprendieron en los cursos de seguridad que desde hace décadas hacen en el extranjero. Según
Nixon, en su país sectores de la política y, desde luego, los
servicios de seguridad oficiales, obedecen al dictado del re-
volucionario ruso Sergei Nechayev: «No basta con matar a
un adversario. Antes hay que despojarlo de su honra», que
según aquel, los mismos servicios de seguridad han transformado en algo como «Al oponente, antes de eliminarlo hay
que deshonrarlo». Versión y lección que han aprendido y prac-
tican con milimetría los cuerpos armados del Estado colombiano.

Con este temor, pero a la vez confiando en el compromiso
de proteger su identidad, uno de los analistas jóvenes más
importantes del país intentó un balance de lo que aquí llaman «el conflicto»:

—Se necesitó que sucediera lo de los Estados Unidos para
que los guerrilleros y los paramilitares y un sector importante de los cuerpos armados del Estado fueran vistos por el
mundo como terroristas y tratados como terroristas —dice él
y luego continúa—: Todos ellos rechazan esa calificación pero
diariamente están realizando actos de terror, están desapare-
ciendo gente que piensa diferente de los del Establecimiento
y torturando y actuando como clandestinos para hacer terrorismo. Aquí todo el mundo sabe que los grupos armados del
gobierno asesinaron a tres mil miembros de un partido de
oposición política. Los otros terroristas colocan bombas en
las ciudades e inmolan a gente inocente; cometen diariamente crímenes atroces como el descuartizamiento de seres humanos en los campos una vez la guerrilla abandona ciertas
zonas dejando la muerte a sus espaldas; asesinan sindicalis-
tas, maestros, todo el que trate de mirar más allá de las narices: gente que sueña con la democracia; otros utilizan cilindros
o bombonas de gas cargadas con agentes gelatinosos e incen-

diarios con los cuales calcinan a los seres humanos, o con gases letales, o con explosivos y trozos de acero para destruir aldeas habitadas por gente pobre. Yo quisiera saber qué pensaría el mundo si en una transmisión de televisión en vivo y en directo le mostraran la destrucción de un poblado con bombonas de gas rellenas de dinamita y tuercas y trozos de tornillos y trozos de varillas de acero, y frente a las ruinas de sus casas, a niños desmembrados y a hombres y mujeres inermes, inocentes, sin cabeza o con el vientre abierto. O si viera a niños secuestrados cargados de cadenas, cautivos dentro de cuevas bajo la tierra como acostumbran a hacerlo los terroristas de este país, y esas mismas imágenes se las repitieran durante una semana, a todas horas del día y de la noche... ¿Cómo se llama el secuestro? ¿No es un crimen terrorífico? Y la destrucción de haciendas y ranchos productivos con su población humana y su maquinaria y sus ganados. Y la destrucción de puentes, carreteras, oleoductos, torres de electricidad, infraestructura que ha logrado ser construida a través de las décadas con el trabajo de una nación empobrecida. Por ese motivo, ya ese terrorismo de guerrilleros y de paramilitares y de agentes armados del Estado (todos son iguales) no es considerado como guerra contra gobiernos inmorales en nuestro medio sino contra el mundo, y eso me parece una maravilla. Eso es estupendo. Le voy a decir algo más: aquello que los guerrilleros y los paramilitares y algunos militares llamaban «actos de guerra interna», hoy son actos terroristas, aun cuando los colombianos no se hayan dado cuenta.

Rodrigo Pardo, editor general de *El Tiempo* resumió en un par de líneas el nuevo orden mundial respecto a Colombia: «La palabra terrorismo adquirió una connotación mucho más perversa y un mayor alcance, y quien lo ejerce se ha ganado una especie de ciudadanía universal». Concepto escrito a propósito de una frase dicha en Washington por Joseph Biden, presidente de la Comisión de Relaciones Internacionales de la Cámara: «Hay que buscarlos, hay que capturarlos donde se encuentren, y si no se puede, hay que matarlos».

La manera de ver la situación de violencia en Colombia cambió una mañana de terror para el mundo. Michael Shifter, del Diálogo Interamericano, sostiene:

«Colombia encaja dentro de esta nueva era de preocupación por el terrorismo. El diez por ciento de los grupos terroristas del planeta está en aquel país.

»Por otra parte, el tráfico de drogas recibirá un escalafón de prioridades ahora que Estados Unidos confronta al régimen talibán que domina Afganistán. En mayo, Naciones Unidas lo había condenado por usar los dividendos que le deja el mercado de la heroína para financiar su guerra civil contra la Alianza Norte y para fomentar acciones terroristas.

»Situación muy similar a la de Colombia, donde los grupos de guerrilleros y sus enemigos, los paramilitares, catalogados hoy como terroristas por la comunidad internacional, utilizan los recursos que les deja el narcotráfico para atacar a la gente de su propio país.

»El eje narcotráfico-terrorismo se volvió evidente como también la necesidad de destruirlo a como dé lugar».

En el fondo del racismo exacerbado y de la infantilización de un público de por sí infantilizado por su televisión y su música que llaman al consumo de drogas, se deja ver ahora sin frases diplomáticas el sentimiento subliminado por los atentados en Washington y Nueva York («El resto del mundo debe entender: si no están con nosotros, están contra nosotros») para acentuar la visión geopolítica y el interés militar que ya tenían los Estados Unidos en torno a Colombia.

Por eso, aquella frase: «Mark Bowden, como 27 reporteros estadounidenses que lo antecedieron aquel mes de mayo, venía atraído por el Plan Colombia, una guerra diseñada en Washington con el pretexto del tráfico de drogas y de una guerrilla poderosa».

Pretexto que para analistas en los mismos Estados Unidos explica muchas cosas.

Ivan Eland, del Instituto de Liberación Cato en Washington, y Adam Isacson, del Centro Liberal de Política Internacional, luego de estudiar la inversión inicial de aquel país en la guerra colombiana, sostienen que «las políticas de Washington han ayudado inadvertidamente a fomentar la corrupción en América Latina y la insurgencia en Colombia» y advierten que «el enfoque militar podría ser en vano».

El señor Isacson subraya: «En Estados Unidos no hemos sido muy exitosos con nuestras propias políticas, pero estamos tratando de imponerlas en otros países cuyas sociedades son muy complejas y diversas».

No obstante, detrás de todo esto se halla el interés geopolítico que despierta Colombia al comenzar el tercer milenio.

Cuando era estudiante le pregunté al general Alfonso Ahumada Ruiz qué era geopolítica, y él respondió:

—Algo así como la figura de un botín que algunos buscan repartirse por la fuerza. Mire: no hay un conflicto en el mundo detrás del cual no exista un interés geopolítico.

Citando a Paul Johnson, Richard Nixon, anota: «La esencia de la geopolítica consiste en saber distinguir entre diferentes grados de maldad».

Un botín, decía el general:

«Roderic B. Mast, José Vicente Rodríguez, Russell A. Mittermeier y otros (Cemex-Conservation International), han logrado establecer que Colombia es una de las diez regiones ecológicas prioritarias del mundo y el segundo productor de biomasa de la Tierra».

En un mapa elaborado por miembros de la comunidad científica, las zonas productoras de las mayores masas de cuerpos vivos en el mundo figuran como pequeñas áreas marcadas con tinta oscura, pero sobre el litoral Pacífico colombiano, de norte a sur, entre Panamá y Ecuador, han estampado una banda gruesa, sólida, inmensa, que corresponde a nuestras selvas húmedas occidentales, que a la vez son la zona más lluviosa del mundo, en el siglo de la sequía.

Al oriente del Pacífico colombiano se halla una cadena de montañas andinas. Le dicen cordillera Central y en ella se halla la biodiversidad más rica del área, y al suroriente, un universo llamado selva amazónica, dueño de una portentosa diversidad biológica. Colombia tiene una porción de ella al lado de Brasil, Perú, Bolivia y Ecuador. Pero, además, en un mundo herido por la contaminación del ambiente, controlar la Amazonia significa poder invaluable. Se trata de una zona con cerca de ocho millones de kilómetros cuadrados, parte de los cuales pertenecen a Colombia. En ella se encuentran la mitad de los bosques tropicales del mundo y una quinta parte del agua dulce con que cuenta la Tierra. En otras palabras, la cuenca amazónica es la fuente de agua dulce más rica de la Tierra, en el siglo crítico para la humanidad en cuanto a producción y consumo de... agua dulce.

Pero el bosque amazónico ayuda a regular la temperatura del planeta consumiendo bióxido de carbono y produciendo oxígeno. Hasta hoy los científicos han logrado estudiar una parte minúscula de las plantas existentes en la

Amazonia y hallaron que resultan esenciales para la obtención, por ejemplo, de medicamentos, pesticidas, colorantes, fibras, aceites, alimentos, es decir, el más grande banco de genes para el futuro de la humanidad y un potencial económico incalculable.

Aquel mundo es un centro evolutivo que luego de millones de años continúa formando diversidad biológica. Esa diversidad cuyas existencias están concentradas en cerca de un sesenta por ciento del total mundial en la Amazonia son, además de lo anterior, un recurso estratégico innegable.

Si usted tiene esas áreas bajo su control, a pesar de ser el mayor contaminador de la atmósfera, por ejemplo, puede decirle al mundo en forma desafiante: «No suscribo el acuerdo de Kioto contra la emisión de gases tóxicos y el correspondiente recalentamiento de la Tierra, porque me opongo a restringir el crecimiento industrial de mi país».

Con el pretexto de la lucha contra los narcóticos, los Estados Unidos han trasladado a la Amazonia parte de la fuerza que tenían en Panamá: una base poderosa en Ecuador, cuatro en Colombia y dos en el Perú.

Por otra parte y según la Federation of American Scientists de Washington y Corpwatch de San Francisco, «Colombia tiene las mayores reservas de petróleo sin explotar en el hemisferio Ocidental». Información confirmada por tercera fuente en el Centro de Política Internacional de Washington, donde Adam Isacson anotó: «El bloque Samoré que quiere explotar Occidental es una prueba de aquello».

Michael T. Klare (*Foreign Affairs*, junio de Dos Mil Uno), al describir el mapa militar del Pentágono en el comienzo de este siglo, sostiene:

«Una vez terminada la guerra fría, el Pentágono ha tomado una serie de decisiones relacionadas con su estrategia de geografía militar hacia aquellas regiones del mundo ricas en hidrocarburos, especialmente petróleo y gas, y en agua dulce.

»El agua no obedece a fronteras políticas. Israel y Siria están peleando por las colinas del Golán, una disputa de soberanía que se remonta a la guerra de 1967, además de que allí se encuentran parte de los recursos de río Jordán.

»Hoy muchas regiones del Medio Oriente y Asia sufren una escasez persistente de agua y el número de países que están experimentando tal condición se duplicará en los próximos 25 años en la medida en que siga creciendo la población y un mayor número de personas se asienten en zonas urbanas.

»Para el año 2030 la demanda de agua podría alcanzar el ciento por ciento del suministro disponible, lo cual generará una fiera competencia por este elemento esencial en todas partes del planeta, salvo unas pocas regiones con buena cantidad del líquido como la región amazónica.

»En cuestión de treinta años la demanda mundial de agua podría llegar a agotar la oferta disponible.

»Se hace cada vez más importante encontrar la forma de resolver pacíficamente esta creciente competencia por los recursos naturales dado que muchos Estados siguen creyendo que controlar ciertos recursos naturales es un tema de seguridad nacional y algo por lo cual se justifica hacer la guerra».

PETRÓLEO

«Aproximadamente cuatro quintas partes de las reservas conocidas de petróleo se encuentran en zonas políticamente inestables o en disputa.

»La globalización económica ha llevado al florecimiento de algunas regiones pobres, pero otras han quedado rezagadas y en ellas se han desatado conflictos que tienen que ver más con los recursos que con el nacionalismo.

»Una forma de analizar mejor las tensiones en el nuevo sistema internacional es mirar el mundo desde la lente de los recursos naturales que se encuentran en disputa y concentrarse en aquellas áreas donde pueda surgir un conflicto por el acceso a la posesión de materiales vitales.

»Los depósitos de petróleo y gas natural más importantes del mundo se encuentran en zonas que están en disputa o que son políticamente inestables.

»Las zonas de posible problema incluyen el golfo Pérsico, la cuenca del mar Caspio, el mar de China meridional y otros países como Colombia, Argelia, Angola, Chad, Indonesia, Nigeria, Sudán y Venezuela, regiones y estados que albergan como cuatro quintas partes de las reservas conocidas de petróleo.

»Colombia se encuentra en medio de una guerra civil estimulada por razones económicas, y las condiciones políticas de Venezuela se han vuelto sumamente volátiles.

»El mapa de recursos naturales en disputa también incluye aquellas zonas donde los países comparten el recurso hídrico y donde pudieran surgir conflictos por obtener el control o acceso a dicho recurso. También debería incluir las grandes explotaciones madereras y explotaciones como la de esmeraldas en Colombia.

»Este cambio en la geografía estratégica le está dando nuevo énfasis a la protección del suministro de recursos vitales, especialmente el petróleo, el gas natural y el agua dulce, dado que el consumo mundial está creciendo en forma realmente preocupante».

Pero, además, Colombia está situada en un lugar estratégico del continente americano y es dueña de la posición ópti-
ma para un nuevo canal interoceánico, ante la obsolescencia
del de Panamá. Y tiene dos costas: una sobre el Caribe, el de
mayor tráfico en el mundo, y otra sobre el Pacífico, dándole
la cara al Asia que, según los expertos internacionales, tendrá
la preponderancia económica en el mundo. Para el mundo,
hoy Asia son la China —próximo imperio— y el Japón.

Hace diez años (1992), buscando la visión de los Ejércitos
de Iberoamérica y España hacia el año Dos Mil, se reunieron
militares de estos países a instancias de la Universidad de
Sevilla. Se les preguntaba por los intereses geopolíticos de
sus regiones al comenzar el siglo veintiuno.

El general Nelson Texeira Pinto, delegado del Brasil, dijo
entonces hablando en nombre de su país:

«La señora Jessica T. Matheus, miembro de la jerarquía
del World Resource Institute y de la Asociación Estadounidense para el Progreso de la Ciencia, y quien durante varios
años dirigió una de las oficinas del Concejo de Seguridad Nacional de los Estados Unidos, escribió en *Foreing Affairs* que
su país necesitaba redefinir el concepto de seguridad nacional, "para incluir cuestiones demográficas, ecológicas y de
recursos naturales". Luego destacó: "Es inaplazable la necesidad de una nueva diplomacia y de nuevas instituciones y
regímenes reguladores para enfrentar la creciente interdepen-
dencia ambiental del mundo", con lo cual deja entrever una
posición sospechosamente intervencionista que no se man-
tiene en el terreno de las suposiciones, pues ella lo completa,
con: "En líneas generales, la definición normalmente acepta-

da de los límites de la soberanía mundial coincidentes con las fronteras nacionales, es obsoleta".

»Finalmente, vemos que los Estados Unidos tenderán, como potencia militarmente más fuerte, a buscar un respaldo de Naciones Unidas para las intervenciones que sean de su interés. Entre esas razones se incluyen la problemática ambiental, el narcotráfico, el acceso a las fuentes de agua y de energía».

El silencio de los inocentes

Santo Domingo era entonces diecinueve casuchas de madera que habían ido apareciendo sobre los costados de una carretera que atraviesa esta llanura sin cercas ni montañas ni colinas. Llanura de dunas y terrazas y más abajo de las terrazas, vegas en medio de las cuales se acomodan ríos gigantescos, y caudales menos abundantes, y arroyos. A los arroyos les dicen «caños».

Santo Domingo nació cerca de Caño Verde, un arroyo transparente. Sobre las riberas, los constructores de la vía encaramaron un puente de cincuenta metros. Manuel Ladino, un tipo con una nariz que le cae a plomo desde la frente, nariz larga y vertical paralela al resto de la cara, que se daba aires de guerrillero, dijo que la obra debería llamarse como el sombrero de copa de un payaso del Circo Torres que había visto en Arauca, la capital de aquella región, y el puente se quedó tal como él lo bautizó el día que sepultaron el último pilote: puente Cubilete.

En el Llano, los ríos son pobres durante la temporada seca, seis meses del año, pero en la de lluvias sus aguas se desbordan por la planicie formando lagunas. Allí les dicen esteros. Aquella no era época de grandes esteros.

El puente está al sur del caserío. Más allá hay una gasolinera, y cerca de él, una venta con piso de tierra, estanterías de bambú y cajas con botellas de aguardiente y de cerveza, calientes como el clima.

Aquella carretera con rectas que se pierden en la reverberación, es la mejor pista de aterrizaje en centenares de kilómetros a la redonda. Lugar solitario, terreno libre de barreras en sus aproximaciones, visibilidad ilimitada. A menos de tres kilómetros no hay más viviendas, no hay gente, no hay nada que se mueva sobre los pastizales. Realmente la aldea es una base de operaciones controlada por la guerrilla, cuya ley es la única que impera en ese territorio. Por allí se mueven seres secuestrados, dineros, armas, explosivos, cocaína. En Santo Domingo la guerrilla manda y la población calla desde cuando armaron los últimos estantillos de la primera choza.

Antes del mediodía del 12 de diciembre del año 1998, un sábado, alguien les dijo a los de la ley que un pequeño monomotor había aterrizado cerca de las casuchas, donde dejó algunas cajas y volvió a elevarse.

Una vez escuchó el mensaje, un oficial de Inteligencia del Ejército —les dicen «Dos»— anunció:

—Mi general, es un monomotor, vuela sin autorización de las autoridades aeronáuticas y, según *El Virrey*, se detectó el descargue de unas cajas que a lo mejor pueden contener cocaína, o a lo mejor, tal vez, explosivos para los bandidos.

—Que le echen mano a ese pájaro —ordenó el general.

Al Cessna vinieron a detenerlo luego de que tomó pista en un poblado llamado Tame, cerca de Santo Domingo, pero en ese momento el pequeño avión estaba vacío. Vinieron el

«Dos», una compañía de Boinas Rojas, un inspector y su escribiente, policías antinarcóticos, un fiscal y su secretaria. Aspiraron el avión. Examinaron el sedimento: tierra. Ni una brizna de cocaína. Se llevaron al piloto para el calabozo y una vez se lo llevaron, «Dos» le dijo al general:

—*El Virrey* advierte que además de las cajas, el pájaro dejó en Santo Domingo al comandante Chancho.

Chancho pertenecía a un nivel privilegiado de la guerrilla, sujeto muy importante para los militares en un conflicto en el cual quienes mandan en la guerrilla mueren de vejez, como Jacobo Arenas.

A la voz de Chancho, el general envió un par de helicópteros con tropa, pero los de abajo los recibieron a balazos. De regreso a la base presentaban agujeros en el fuselaje, y el general prendió en ira, se comunicó con el superior y el superior con otro superior y los superiores acordaron mandar por los periodistas para una conferencia de prensa y luego adelantar una gran operación para capturar, vivo o muerto, a Chancho y al resto de su gente.

—Que sean helicotransportadas al teatro de operaciones tropas de superficie.

—¿Cuáles ordena, mi general?

—Unidades contraguerrilla. Vámonos con todo sobre esos terroristas —respondió, y comenzaron a elevarse helicópteros llevando patrullas que se identificaban a través de la radio como Águila Cinco, Cascabel Seis, Dragón Ocho, Mapaná Doce, Vívora Trece del Batallón Comuneros, y Alacrán Catorce, Cobra Quince, Pantera Veinte del batallón de contraguerrillas número Veintiuno del Ejército de Colombia.

Los helicópteros se posaban en la llanura a dos kilómetros del camino y antes de desembarcar la tropa, barrían los pastizales con ráfagas de ametralladora, buscando protegerse y a la vez disuadir a la turba de Chancho que se hallaba dentro de algunas manchas de bosque, no lejos de las casuchas. El general le dijo a la prensa inicialmente que los enemigos eran setecientos, pero el superior del superior, hombre ponderado y serio, confesó en la conferencia de prensa que se trataba de mil quinientos terroristas hi...

Combatieron el resto de la tarde. Anocheció a las seis y continuaron combatiendo. A las once y media, la tropa que se hallaba en el lugar pidió apoyo a la Fuerza Aérea, y a la medianoche sobrevoló un avión *fantasma* sobre las posiciones de Chancho que, según una voz con acento extraño que daba órdenes a través de la radio (LaVoz), estaban ubicadas dentro de algunas de las espesas manchas de bosque —allí las llaman matas de monte— que rodean la carretera, y debían ser ametralladas con una cadencia de fuego controlada.

Las fuerzas de tierra tenían entonces los primeros muertos y heridos y no podían abandonarlos. Buscaban evacuarlos antes de avanzar hacia las casuchas. El *fantasma* disparó sus ametralladoras hasta las tres.

Uno de los primeros en desembarcar en medio de la cortina de balazos que partía del helicóptero, fue un capitán al mando de la compañía Cobra Quince que unos pocos metros adelante entró en contacto armado con la gente de Chancho. Los Cobra trataban de avanzar hacia el sur para ocupar Santo Domingo.

Sobre las cinco de la tarde Cobra se comunicó con la base para anunciar que entre sus hombres había tres muertos y cuatro heridos y escuchó que La Voz estaba observando movimiento de camiones que cargaban y descargaban gente en inmediaciones del caserío.

Por la intensidad del combate, el comandante de los Cobra calculó que en el área debería haber en total unos doscientos guerrilleros.

Anocheció en medio del fuego y en la capital un general citó a una nueva conferencia de prensa.

Cinco de la mañana. Pronto amanecería. Un domingo, el trece. Día tibio a esa hora.

Los diarios, como la televisión la noche anterior, desplegaban el titular del día: «Acorralada la guerrilla».

El Tiempo anunciaba desde la capital que el Ejército había iniciado la ofensiva más gigantesca desplegada contra el terrorismo y dijo que según el general superior del superior del superior que se hallaba en el terreno dirigiendo personalmente la campaña, cuatro mil militares perseguían a mil trescientos guerrilleros, de los cuales, trescientos habían caído muertos en los primeros enfrentamientos.

Según el diario, el despliegue militar no tenía precedente en la guerra contra los bandidos.

«Allí vuelan aviones de combate OV 10 y Broncos [son lo mismo], Tucanos, Fantasmas, helicópteros Arpía [los militares se referían a los artillados], helicópteros UH-1H, Hugues y Halcones Negros bombardeando y llevando tropas y pertrechos. Hasta el momento no hay bajas en las filas del Ejército», agregaba.

Según lo que dijo el general en la conferencia y lo reprodujeron los medios de prensa, quien mandaba en los mil trescientos —bueno, mil guerrilleros porque según él mismo ya le habían dado muerte a trescientos—, quien los comandaba no era Chancho sino el Negro Acacio, un jefe con mayor popularidad en el país y desde luego mucho más valioso. Secretos del *marketing*.

Pero, además, fue anunciada la captura clave de Narda Cabezas, amante de un cabecilla apodado Grannobles, «terrorista, asesino de misioneros *americanos*, que se encuentra acorralado y sin salida».

Domingo de optimismo para la patria. La chica de la televisión encabezó las noticias con una frase escrita por el director del informativo: «Éste es el principio del fin de la guerrilla».

Antes de que amaneciera, en la base desde la cual había sido lanzada la operación, fue dada la orden para que uno de los helicópteros de velocidad mediana conocido familiarmente como Centella Negra, cuya misión era transportar soldados y abastecimientos para las tropas de superficie, fuera armado con un artefacto que llaman «dispositivo Cluster». Bombas viejas y herrumbrosas que no siempre hacen explosión, por lo cual la guerrilla recicla las que caen en silencio y fabrica explosivos y con ellos destruye poblados de gente pobre y casas de pobres y escuelas de pobres. Son bombas que sobraron de la guerra en Vietnam.

Realmente nada parece inverosímil en una guerra artesanal como ésta. Un año antes, el Departamento de Estado de los Estados Unidos ordenó enviar a manera de, bueno, ellos le dicen ayuda... Le enviaron como ayuda a Colombia, diecisiete millones de proyectiles inservibles para ser utilizados en unas ametralladoras (GAU-19/A), varias de ellas inservibles, emplazadas en parte de los viejos helicópteros Halcón Negro (UH-60), que también habían llegado como ayuda.

Cuando la noticia fue publicada en *The Washington Times* y reproducida en voz baja, la cabeza gacha, las mejillas enrojecidas, por la prensa colombiana, páginas interiores, pequeños titulares, letras pequeñas y pequeñas columnas, los militares y los policías desconocían que «según los documentos del gobierno estadounidense, la munición fue aprobada por la Oficina de Policía y Leyes Internacionales contra Narcóticos del Departamento de Estado, a pesar de una advertencia escrita por el fabricante, según la cual, su utilización puede lesionar a quien la dispare».

Se trataba de balas para la guerra de Corea, hechas a mediados del siglo pasado por la fábrica Twin Cities Arsenal, de la firma General Dynamic Armaments Systems.

Diecisiete millones.

Un poco antes de aquello, en aguas del pacífico colombiano, el comandante del *Sebastián de Belálcazar*, un remolcador de mar de la Armada Nacional, dijo «guerra es guerra», luego de intentar durante medio día que el cañón disparara. Yo me encontraba a bordo tratando de rehacer la historia de *El Karina*, un barco con armas para otra guerrilla, y del único combate naval sostenido por la Armada colombiana en la era moderna, realizado con cargas de fusilería y disparos de pistola, luego de que el buque se pegara un cañonazo él mismo. Al final de aquel combate quien hundió al pirata no fue la unidad de la Armada sino los mismos guerrilleros que perforaron a balazos el casco de *El Karina* buscando morir como héroes. Pero no murieron. Terminaron encadenados y de cabeza dentro de un barril.

En ese momento buscaba tomar una fotografía del cañón escupiendo humo y la escena se logró finalmente a las cinco de la tarde, gracias a la penúltima bala salida de la santabárbara donde almacenan el arsenal.

—Al parecer se trata de munición alterada por la humedad del ambiente —dijo el capitán, la voz baja, la cabeza gacha, las mejillas enrojecidas, pero el segundo de abordo examinó el culote de la vainilla de uno de los proyectiles, y dijo:

—Señor, es de 1950. Increíble que todavía exista material fabricado para la guerra de Corea.

—Es ayuda, y a bala regalada no se le mira el... culote —replicó el comandante.

Seis de la mañana del domingo trece. Cuando amaneció, en la base militar de la llanura dijeron que la visibilidad para volar era mayor a diez kilómetros, cielo con nubes escasas y viento en calma. Los helicópteros volaron hasta un campamento de la Occidental Petroleum Company, en un punto llamado Caño Limón, desde el cual la compañía decía que bombeaba en ese momento 120 mil barriles diarios de petróleo, a lo largo de mil kilómetros de oleoducto hasta la costa Caribe.

La infraestructura petrolera es regularmente saboteada por la guerrilla que extorsiona al Estado colombiano a través de las empresas multinacionales, con la fórmula de que aquéllas saquean los recursos del país. El ex vicepresidente y ex candidato presidencial de los Estados Unidos, Al Gore, es socio de la Occidental.

A las seis y quince los pilotos fueron concentrados en el campamento de la petrolera estadounidense. Allí les dijeron que durante todo el día transportarían tropas que serían desembarcadas en lugares que La Voz había determinado previamente, de manera que ellos se limitaron a escuchar las órdenes. La de Centella era asalto aéreo, transporte de tropas y abastecimientos —una operación *Delta*—, y algo llamado misión *Charlie:* dejar caer el dispositivo Cluster o racimo de granadas de fragmentación, que llevaba atado a la percha derecha de su helicóptero, aunque realmente no existía un procedimiento para lanzarlas, puesto que ninguna nave de la familia de Centella llevaba habitualmente ese tipo de armamento, por viejo y por obsoleto, pero los mecánicos de los helicópteros fueron creando toda una metodología casera para manejarlo.

A esa misma hora sobre la llanura, cascabeles, águilas, dragones, vívoras, alacranes, panteras, cobras, se hallan trenzados en combate con la gente de Chancho.

Un poco antes, con las primeras luces del día, ellos habían

visto al final de una larga recta en la carretera, una multitud de personas con armas largas que les hacían señas:

—¡Vengan, hijueputas, que aquí los esperamos! —gritaban.

Un poco más tarde vieron algo parecido a un camión aparcado en la carretera, a la entrada del caserío por el sur, y un remolino de gente vestida como los paisanos caminado con tranquilidad por la vía, y cuando cruzaban por sobre ellos los helicópteros artillados se quedaban inmóviles mirándolos pasar. Era gente con ropa de color claro para estos climas cálidos del trópico, lo cual le facilitaba al teniente de los Pantera su identificación. Pero, además de los que gritaban y de los que caminaban con sus camisas claras, se veían allí motos que iban y venían, también con gente vestida de blanco.

A esa hora, La Voz confirmó la presencia de un camión rojo que no había anochecido en el lugar. Dijo que se hallaba ubicado al lado derecho de la carretera y al comienzo del caserío.

Un poco antes de las siete aterrizó un helicóptero que buscaba evacuar a los muertos y a los heridos, y aprovisionar de munición a las patrullas. A través de la radio el teniente que comandaba a los dragones escuchó que La Voz advirtió cómo en el poblado había un movimiento inusitado de personas.

Los contraguerrilleros estaban armados con fusiles israelíes, ametralladoras M60, morteros de 60 milímetros, lanzagranadas de 40 milímetros, granadas de fusil, y los guerrilleros con fusiles estadounidenses M16 venidos del Panamá de Noriega a través de la selva y el mar y Kaláshnikov sobrantes de las guerras en Nicaragua y El Salvador, y AK47 —que son los mismos Kaláshnikov—, procedentes de Honduras, desde donde el almirante Poindexter y el general Oliver North armaban a *La Contra* nicaragüense. Y aquellos guerrilleros disparaban también con fusiles Kaláshnikov, caídos del cielo gracias a la CIA.

Antes de las nueve de la mañana los Cobra recibieron a una compañía de apoyo (Puma), al mando de un teniente, y con ella organizaron el avance. Luego se pusieron en movimiento.

Sobre las nueve, el comandante de los Cobra pidió que el fuego aéreo ablandara al enemigo ubicado frente a ellos para que las dos compañías pudieran avanzar. Pronto un helicóptero los apoyó descargando sus ametralladoras y algunos cohetes sobre las manchas de bosque que arropaban al puente Cubilete, aquel punto crítico de solo cincuenta metros de longitud. El fuego aéreo les permitió cruzar por allí antes de las diez. Luego se internaron en otra mancha de bosque al poniente de la carretera. Allí permanecieron el resto de la mañana sosteniendo combates esporádicos con la gente de Chancho.

Mañana cálida. Un poco después de las nueve, Centella se elevó con un grupo de soldados y el técnico de vuelo informó a través del *intercom* de sus cascos que en el momento de desembarcar la tropa no podrían proteger la nave, ni proteger a los soldados, ni disuadir a Chancho, puesto que la ametralladora de abordo, una M60 dotada con varias arrobas de cartuchos, no trabajaba. Otra ayuda.

La Cluster que a pesar de su color siena opaco parecía brillar con el sol del Llano, no es más que una varilla de acero y sujeta a ella seis granadas, cincuenta kilos de trinitrotolueno (TNT), un explosivo sólido cristalizado, antiguo pero poderoso. Para lanzarla desde 2.500 pies de altura, el tercer hombre a bordo hala un cable de acero que la desconecta de la percha, con el fin de que la espoleta de las granadas tenga tiempo de armarse a medida que van cayendo. Si el viento está calmo, como lo estaba aquel domingo trece, las seis deberían chocar contra el mundo a manera de cuñas y explotar en una zona concentrada, cercana una de la otra, primero las tres de adelante, luego las restantes.

A las 9 y 35 el copiloto volvió a confirmar el estado del tiempo: azul ilimitado, temperatura cálida aumentando en forma rápida, viento en calma. El aparato *Palo y Bola*, un instrumento básico y primario, indicaba cómo Centella se hallaba dentro de su centro de gravedad en condiciones óptimas para cada viraje.

El objetivo indicado a través de la radio por aquella voz extraña que sonaba sin detenerse desde la víspera, La Voz, era una mancha de bosque señalada por él como «la número cinco» a unos mil metros de distancia de las casuchas, donde, decía, se hallaba concentrada buena parte de la horda de Chancho.

Centella describió tres órbitas luego de las cuales la tripulación reconoció bien el punto, y cuando estuvieron seguros del blanco, iniciaron un viraje por la derecha alejándose hacia el «Eco» —este de las casuchas— para enfilar luego en dirección del lanzamiento.

—Bola dentro del palo —dijo una vez más el copiloto.

Volaban paralelos a la carretera por el costado norte y nunca vieron que las casuchas se acercaran a ellos. Eran dos hileras de techos de cinc que flotaban al costado izquierdo de Centella.

En ese punto, el piloto comenzó a sostener la nave de tal manera que pudiera enmarcar la mancha de bosque con la mira pintada en el piso, sobre el *flexiglass* transparente, bajo sus pedales.

Como todo en esta guerra, la mira es rústica: dos círculos, uno dentro del otro con líneas punteadas en sus ejes. La unión de las X, o de las Y, o de la X-Y, como usted lo prefiera, señala el punto de paso sobre el blanco.

—Velocidad setenta nudos. Altura 2.500 —anunció el copiloto.

Le dicen maniobra de acercamiento al blanco. Cuando Centella inició la pierna final para el lanzamiento, «Altura 2.500... Velocidad, setenta... Viento calmo...», la mancha de bosque se hallaba en la rectitud de sus ojos. A las 9 y 44 las ramas de un guarataro comenzaron a entrar dentro de los círculos. En la mancha de bosque, los penachos de una palma real sobresalían inmóviles, brillantes por el sol, y cuando la mira se llenó de vegetación, cuando tuvieron al bosque atrapado dentro de los círculos, el comandante dijo a través del *intercom*:

—Tres, dos, uno... ¡YA!

En la parte trasera de la nave, el tripulante de vuelo haló la cuerda de acero y vio que el racimo de bolas que ahora parecían negras en el contraluz del cielo, se desprendía libremente y caía tras el blanco en el aire limpio de la mañana.

Desde su posición de vuelo por encima de Centella, la tripulación de un Arpía pudo observar el desprendimiento del racimo y seguir su caída por unos segundos hasta cuando desapareció dentro del follaje de la mata de monte, mil metros al norte de las casuchas.

—Yo he visto lo que ocurre después de que una Cluster ha hecho explosión en tierra. He visto una polvareda espesa, un temblor de la vegetación, un remolino de ramas, una nube de hojas mezcladas con la tierra —dijo más tarde el biólogo responsable de un parque nacional cercano.

En el bosque quedó abierto un cráter circular de diez metros de profundidad. Sobre la vegetación hecha harina, podían verse, también brillando por el sol que finalmente había penetrado allí, esquirlas metálicas de las granadas, maceradas como la tierra.

Dentro de Centella se escuchaba el ruido de la turbina y el de las aspas rebanando el viento, y cuando iniciaron un viraje en busca de la zona indicada para tomar tierra, escucharon a La Voz diciéndole a otra nave:

—Error, error. Ahí no era, equivocación, la cagamos, salgan de ahí.

Al parecer La Voz les había dado coordenadas que marcaban algún área crítica y la nave a la que se dirigía, la barrió con su ametralladora. Centella no lograba comprender lo que estaba sucediendo, de manera que se aproximó a tierra y se posó detrás de un transporte que desembarcaba más soldados.

A esa hora, una de las dos cadenas de estaciones de radio comercial más poderosas del país interrumpió su transmisión para informar que según el superior del superior «El Ejército y la Fuerza Aérea movilizan en estos momentos tódos los helicópteros Halcón Negro, artillados y para transporte de tropas, todos los M-I rusos para transporte, todos los aviones bombarderos, de inteligencia y de transporte que posee, los cuales continúan tendiendo un cerco sobre el Negro Acacio y sus terroristas. Según mi general, desde una base cercana a los combates, despegan cada día cincuenta vuelos con tropas».

Luego dejaron escuchar la voz intermitente de una redactora que hablaba «desde la zona de guerra».

La mañana siguiente el diario principal publicó que el Ejército había acogido en uno de sus helicópteros a cinco periodistas que «en medio del ensordecedor ruido de los motores» no lograron precisar adónde los habían llevado, pero según sus crónicas, a ellos solamente los dejaron ver el embarque de tropas en una base militar. La noche siguiente debieron dormir en la terminal de un pequeño aeropuerto cercano a la zona de combates... Pero en avión.

Allí, al amanecer, un piloto militar les dio la noticia para
que escribieran el encabezado del día: «Han muerto cincuenta guerrilleros más».

A este recurso los militares le dicen «operación sicológica»: manejar el criterio de la opinión pública a través de la
prensa, pero los reporteros lo entienden como una exclusiva,
o «chiva» en su jerga elemental.

Hacia el mediodía, y a medida que iban ganando terreno,
la vanguardia de los Puma se encontró con un claro en la sabana. «Claro» le llaman allí a un sector despejado de vegetación, y en ese punto detuvieron su avance porque al tratar de
cruzar, en el extremo opuesto y a las espaldas de las casuchas, se encontraba la guerrilla escupiendo fuego, por lo cual
retrocedieron hasta la última mancha de bosque.

En ese momento los combates habían sido esporádicos.
Los soldados avanzaban con lentitud y a cubierta dentro del
área boscosa, terreno que les restaba visibilidad, por lo cual
se apoyaban con el fuego de sus ametralladoras. Su camino
tenía la dirección Norte-Sur, por la derecha, paralelo a la carretera que habían tomado como eje de avance, pero una
vez cruzaron el puente continuaron deslizándose sobre dos
ejes diferentes y sosteniendo contactos simultáneos con el
enemigo.

A partir de aquel momento los combates fueron constantes durante el resto de la mañana.

A las doce y media, la gente de Chancho arremetió con
fuego de granada, y cobras y pumas perdieron a varios soldados y vieron caer heridos a cinco más. La orden del capitán
fue mantenerse dentro de la mancha de bosque hasta cuando
él pudiera pedir el apoyo aéreo. En aquel momento no había
ninguna aeronave en el aire.

En vista de que el enemigo era numeroso, a la una de la tarde desembarcó la compañía Alacrán Catorce, al sureste del caserío y en adelante las acciones fueron más nutridas en todos los sectores. La intensidad de los combates sobre el mediodía les permitió deducir que los guerrilleros ahora eran unos trescientos. Cuando oscureció el día anterior, el poder del fuego les había dado margen para calcular que Chancho no tenía a su lado más de doscientos guerrilleros. El aumento de fuerza del enemigo acaso había obedecido al movimiento que advirtió La Voz cerca de las casuchas.

Los noticieros de televisión del mediodía también estaban ahora uniformados. Conferencia de prensa del superior del superior del superior: «Los que no están conmigo, están contra mí». Además, dijo que en aquel momento habían aumentado de cuatro a seis mil los militares que atenazaban el cerco contra los terroristas.

Pero simultáneamente el superior del superior dijo a través de la radio y de otras cámaras de televisión cuando salía de una reunión que estaba en capacidad de anunciarle al país la muerte del jefe de los dos mil guerrilleros (dijo dos mil, no mil trescientos menos trescientos; y menos cincuenta, según las cuentas de muertos hechas por ellos ante la prensa en capítulos anteriores), y cuando dio su nombre no se refirió al Negro Acacio sino a un tal Urías.

A su vez, en la conferencia, el superior del superior del superior «garantizó que la operación continuará y sólo terminará cuando la cúpula militar tenga certeza de que han acabado con los mil trescientos que se hallan cercados», anotaba El Tiempo.

Una de la tarde. En la llanura se escucha a La Voz diciendo que ha cedido el fuego lanzado por los de la mata

«Cinco», pero ahora habla de otra. La llama «Nueve», dice que allí se halla agazapada una jauría de bandidos y exige más acción. Se la escucha excitada.

—Hay muchos bandidos —repitió, y le dio a las aeronaves las coordenadas del nuevo blanco, siete kilómetros al oeste de las casuchas y tan fácil de reconocer en la planicie como la anterior.

En la base, el técnico acomodó un nuevo racimo Cluster también en la percha derecha del helicóptero, revisó el cable de acero y se coló dentro de la nave cuando el comandante estaba presto a darle encendido a la turbina.

Una vez en el teatro de operaciones identificaron el blanco señalado por La Voz. No obstante, un Arpía que volaba a mayor altura, dijo que debían reconocer mucho mejor aquella mancha de bosque, menos espesa que la de la mañana, y lanzó un cohete sobre ella.

A las dos de la tarde la brisa, la temperatura y la visibilidad eran similares a las de las diez, por lo cual la tripulación estableció las condiciones de vuelo y dejó caer el segundo racimo.

Centella es otra ayuda estadounidense, es decir, un anciano, la tercera edad, la fatiga.

El primero de ellos llegó a este país en los años sesenta y su presentación fue el ametrallamiento de una *República Independiente* llamada Marquetalia donde se escondía Tirofijo. Era el nacimiento de esta guerrilla, lo cual quiere decir que Centella es tan viejo en esta guerra como Tirofijo, el guerrillero más viejo del mundo.

Después de aquello, el helicóptero apareció en Vietnam, 1965, rediseñado básicamente para que operara en ese lugar: condiciones selváticas, alta humedad, alta temperatura, vuelo a baja altitud, digamos, por debajo de la cota de cinco mil pies, y allí funcionó muy bien hasta el final de la guerra.

En el año 1975 Colombia compró unos veinte a precio de sobrantes. Les colocaron ametralladoras de seis cañones, lanzacohetes y empezaron a participar en la lucha contra la marihuana. El área de operaciones era la costa Caribe a nivel del mar, altas temperaturas, baja humedad. Centella buscaba buques, buscaba caravanas de camiones cargados con hierba. Gracias a la inmensa capacidad y al valor de los pilotos colombianos, fue el primero en volar de noche, sin haber sido construido para eso, sin tener visión nocturna, con un solo motor.

En ese momento los estadounidenses se hallaban aquí cargando hierba y pagando con dólares, volando sus aviones con la matrícula «N» de los Estados Unidos. Ellos fueron los pioneros del narcotráfico: pilotos del Vietnam, aviones del Vietnam. Muchos se iban, pero muchos se quedaban. Algunas veces amanecía y los tripulantes del Centella veían con el espejismo del desierto columnas de humo, aviones hechos ceniza accidentados a la media noche.

A comienzos de los años ochenta se acabó la lucha contra la marihuana. Los estadounidenses no regresaron porque habían comenzado a cultivarla en todos los Estados de la Unión y aquí había decrecido la producción, de manera que el helicóptero fue llevado al centro del país. Bogotá. Dos mil seiscientos metros más cerca de las estrellas.

Cuando subía hasta allá, a los pilotos se les acababa el recorrido del rotor de cola y se quedaban sin el dominio completo de los pedales y Centella se asfixiaba, le faltaba oxígeno y comenzaba a entorcharse en el aire. No había sido diseñado para volar a esa altitud.

Entonces habían transcurrido veinte años desde el ataque a Marquetalia, uno de los primeros refugios de Tirofijo, y ahora le ordenaban bombardear y ametrallar y desaparecer de la faz de la tierra un conjunto de armazones de tablas llamados Casa Verde, el último refugio del mismo Tirofijo. Centella participó en el ametrallamiento de unas casas abandonadas y realmente construidas con tablas, de las cuales, una hora antes se había marchado Tirofijo.

En 1984 el gobierno de Colombia, «muy honrado y muy agradecido», recibió la primera donación de Centellas que para los estadounidenses eran chatarra, pero para los colombianos —ingeniosos por pobres— significaban un material magnífico. Cuando los vieron, los pilotos militares sonrieron. Desde luego, venían rejuvenecidos con una capa de pintura, algunas pequeñas piezas de goma sin estrenar y un par de radios raras que no habían visto jamás, y ellos decían:

—Qué maravilla, nos han dado lo mejor.

Centella se portó bien hasta finales de los años ochenta y cuando ya estaba dando muestras de cansancio, los estadounidenses le regalaron a Colombia otros veinte, y la Fuerza Aérea comenzó a llenarse de chatarra.

—¿Por qué tanta basura? —preguntó un día un coronel, y su superior, un general que no era bobo, le explicó:

—Nos la regalan para que Colombia con dinero colombiano la mantenga en buen estado, la repare y la haga operar. Nuestra misión es alimentar económicamente las fábricas estadounidenses.

Realmente, aquellas máquinas exigían traer expertos de los Estados Unidos, comprarles motores, comprarles piezas, repuestos.

—Siempre nos sucede igual con los estadounidenses y sus guerras —dijo el superior.

Una semana después fue retirado del servicio.

En los años noventa, Centella no gozaba del mejor prestigio, luego de una serie de siniestros en los que murieron varios militares. Aun así volvieron a utilizarlo en otra *misión de asalto* sobre las mismas construcciones de tabla que eran el mismo Casa Verde, en las cuales había vuelto a refugiarse Tirofijo. Centella regresó allí, ametralló, trasegó con tropa, con arrobas de balas, con generales y coroneles. Labor inútil porque cuando llegaron los helicópteros y los soldados y los cañones, cosa es de volverse loco, no pudieron cazar tampoco...

Tirofijo acababa de abandonar su cuartel general.

Esta guerrilla tiene cuarenta años, Centella cumplía cuarenta buscando a Tirofijo. Eran dos viejos frente a frente, pero el helicóptero se fatigó primero y lo despojaron de su armamento. A partir de esa época no acudió a más asaltos aéreos y lo destinaron a algo llamado funciones de enlace: llevar a un general, sacar a un herido, trasladar un saco de papas, buscar una patrulla que no aparecía, sacar los muertos en la emboscada. El helicóptero halló por fin una misión más lógica para su tamaño, y la hizo muy bien.

El año de «La batalla de Santo Domingo» —como le dice el comandante Chencho, que es gente de Tirofijo—, LyComing, el fabricante de los motores había advertido que tuvieran cuidado con el viejo Centella, pero a pesar del aviso y del riesgo que les hacía correr a sus tripulaciones, un domingo trece lo enviaron a actuar cerca de Santo Domingo y más tarde le cantaron el réquiem en la guerra: pasó a servir en una escuela de entrenamiento de jóvenes pilotos.

Algunos oficiales creen que el día que tengamos paz no habrá los recursos para mantener la flota de Halcones Negros. A esos helicópteros, seguramente Colombia tendrá que jubilarlos o venderlos o hacer algo. Para nuestras necesidades, el rescate de la aldea, llevar la rueda Pelton a la otra aldea, es más barato hacerlo con Centella equipado con motores nuevos.

Tarde del 13 de diciembre. Entre las cuatro y las cuatro y media todas las compañías sostenían combates intensos. Los Cobra se hallaban en inmediaciones de la mancha de bosque señalada por La Voz como «Siete». Los Puma hacia la mata de monte «Cinco», al sur, y los Águila hacia la mata de monte «Ocho». A esa hora ninguna unidad estaba cerca de las casuchas. Ocupaban zonas boscosas.

A eso de las cinco, aún en medio de intensos enfrentamientos, los Cobra y los Puma escucharon una explosión y vieron luego una llamarada que se elevaba entre cincuenta y sesenta metros. Ellos no continuaron avanzando con dirección al caserío sino que retrocedieron nuevamente hasta el puente Cubilete. Buscaban reorganizar las dos unidades y evacuar varios heridos del combate de la tarde.

Dos kilómetros después del puente está la gasolinera. Luego las casuchas. A pesar de la intensidad del combate, al caer la noche las compañías contraguerrilleras se habían ubicado a mil metros del caserío.

La evacuación se hizo aproximadamente a las nueve de la noche en el sector hasta el cual habían retrocedido. El puente era el único sitio cercano donde podían aterrizar los helicópteros.

A esa hora en la base aleteó la pregunta:

—¿Qué sucedió? ¿Quién cometió un error esta mañana? ¿Quién *la cagó*?

Silencio.

—¿Quién ametralló? ¿Dónde ametrallaron?

Silencio.

El diálogo fue interrumpido por la televisión:

—Según un oficial de Inteligencia, los terroristas se hallan desmoralizados, con miedo y con hambre, y se disponen a huir de los combates.

La mañana siguiente el diario registraba algo similar:

El general superior del superior del superior le había dicho a los periodistas que ahora la guerrilla huía replegándose hacia la República Independiente del Caguán, donde ahora gobierna Tirofijo.

(Indicio de que la guerrilla se les había escabullido, pues el cerco de seis mil hombres no era tan atenazante.)

Continuaron los combates. Dos días más tarde comenzaba a diluirse aquello de «el principio del fin del terrorismo».

El superior de todos los superiores encaramó nuevamente a algunos periodistas en un helicóptero, y en las primeras páginas de los diarios apareció luego una gran fotografía, fondo verde, brillo de hule negro, dos cuerdas, al lado de las cuerdas el gesto endurecido de un soldado. Bajo sus pies, flotaban dos bolsas de polietileno. «Contiene los cadáveres de dos guerrilleros», dice la leyenda. Eran los primeros bultos, la imagen virtual de los primeros despojos mortales que lograba ver la opinión en varios días de combates.

El Tiempo comentó: «Se trata de la operación insurgente bautizada como "Isaías Carvajal" en honor del único cabecilla guerrillero que murió durante el ataque a la base militar Coreguaje, hace varios meses en otro rincón del país, en el que murieron treinta militares».

Cuatro días después, el superior del superior en conferencia de prensa aseguró: «Los terroristas no podrán escapar del cerco militar. Esto terminará con una entrega masiva, si antes no los hemos traído dentro de bolsas negras».

A los diez días el superior del superior varió las cifras. Ya no hablaba de trescientos, ni de trescientos cincuenta guerrilleros muertos en combate, sino de cien, pero al hacer cuentas, los cadáveres vistos y contados no pasaban de cinco.

Para no desmentirlo, el superior del superior del superior dijo que sí, que era un centenar, pero cuando el único periodista incrédulo tomó el riesgo de preguntar:

—Mi general, ¿finalmente cuantos fueron? ¿Trescientos cincuenta?... ¿Cien? ¿Cinco?

Aquél respondió:

—¿Usted no se ha dado cuenta de que Urías, el cabecilla, vale por cien?

Un experto del Departamento Nacional de Planeación que pidió no ser mencionado «porque me asusta la muerte», calculó que el gobierno se había gastado, sólo en aquella operación sicológica, tanto dinero como para construir, dotar y poner en funcionamiento durante un año trescientas escuelas para mil niños cada una, o levantar un gran hospital de tercer nivel, en un país donde la ignorancia es causa de la guerra y la gente muere en las puertas de las clínicas porque no tiene con qué pagar un servicio.

En la base militar, dos noches más tarde se produjo algo inesperado para la gente que cenaba en el casino de oficiales. El informativo de televisión dejó escuchar fanfarrias. La chica de las siete dijo que un helicóptero de la Fuerza Aérea había dado muerte a veinte niños, quince mujeres y siete ancianos con una bomba llamada Closet, pero la de las nueve enmendó las cifras:

—No son veinte sino dieciocho los niños que desintegró la bomba Monster de moderna tecnología, lanzada por uno de los helicópteros del Ejército que tenía cercados a dos mil guerrilleros en los Llanos. La masacre ocurrió en una ciudad conocida como Caño Verde.

La semana siguiente, siete ONG estadounidenses elevaron su voz de protesta en San Francisco, Los Ángeles, Nueva York y Miami, y la agencia de vigilancia de los derechos humanos de Washington le exigió al Presidente de la República de Colombia que diera una explicación inmediata de lo sucedido a raíz del lanzamiento de una bomba Cluster. El Presidente apareció en forma inmediata en la pantalla chica:

—Las fuerzas de seguridad no pueden responder con barbarismo al barbarismo —dijo.

Aquel domingo trece un poco antes de las diez de la mañana, gran parte de los habitantes de diecinueve bohíos se encontraban en las orillas del camino y estando allí se produjo la explosión del camión rojo tras la cual murieron 17 personas, entre ellas seis niños: Luis Carlos Neite, cinco años; Margarita Tilano, cinco; Enna Margarita Bello, cinco; Jaime Castro, cuatro; Deysy Caserine Cárdenas, siete; Jorge Vanegas, diez. Los demás eran mayores de diecisiete años.

La actuación del Presidente de la República en la televisión, la presión de las ONG estadounidenses, la Defensoría del Pueblo, la prensa hablando de masacre, el Congreso de los Estados Unidos haciendo alusión a los Derechos Humanos, pesaron tanto como para que por fin se hablara de «una exhaustiva investigación penal».

Se abrió el proceso y en él pusieron sus ojos y sus sellos cuantas agencias de investigación figuraban en la guía telefó-

nica, y finalmente pasó a los dominios de la justicia militar.
Pero según la justicia militar, el racimo Cluster de la mañana
no cayó donde había caído, sino sobre algunos niños y algunas mujeres y algunos hombres del poblado, o posiblemente
encima del camión rojo que el domingo trece amaneció aparcado no lejos de las casuchas de madera, y ese camión entró
en llamas y después se desintegró y, claro, mató a la gente.
Pero la mató porque el racimo Cluster le había caído encima,
y, hombre, esos pedazos de chatarra volando por ahí como
proyectiles...

Como lo habían pedido los de los Derechos Humanos de
Washington y las ONG estadounidenses, y el Presidente de
la República en un especial de televisión, el personero municipal y el inspector de Policía de un pueblo vecino con su
secretaria borracha se asomaron a Santo Domingo, y después
la Fiscalía General de la Nación, la Procuraduría, algunos del
Departamento de Seguridad disfrazados de beisbolistas, el
Instituto de Medicina Legal, el grupo Marte del Ejército, la
Consejería Presidencial para los Derechos Humanos, la Defensoría del Pueblo y un Juzgado de Instrucción Penal Militar. Todos ellos tomaron fotografías, recogieron algunos
objetos y dijeron que los someterían a exámenes técnicos y
científicos, pero pronto, muy pronto, Santo Domingo desapareció de la memoria del país.

Dos años y medio de silencio. El viernes 15 de junio del
Dos Mil Uno, el *San Francisco Chronicle* irrumpió con la revelación de algo que los superiores de los superiores de las Fuerzas
Militares de Colombia habían logrado mantener controlado,
silenciado, callado:

La identidad de La Voz correspondía a tres mercenarios
estadounidenses que a bordo de un avión Sky Master al ser-

vicio de la Occidental Petroleum Company, les habían indicado a los militares locales las coordenadas de los blancos y los instantes en que debían castigar con cohetes y ametrallar los alrededores de aquel caserío de ranchos miserables controlados por la guerrilla, y más tarde bombardear la llanura y las manchas de bosque. Ellos eran quienes habían pedido durante varias mañanas y atardeceres y noches, más acción contra Chancho y su horda de bandidos. Más decisión. Más arrojo:

—¡*Go, go, go*!

Luego vino el silencio de los... ¿inocentes? No. De las operaciones sicológicas militares, roto cuando el diario extranjero reveló que La Voz se llamaban Joe Orta, Charlie Denny y Dan McClintock de una compañía privada de vigilancia aérea con base en Rockledgef, llamada Air Scan International.

En ese momento, Orta, Denny y McClintock se hallaban libres de cargos en algún lugar del mundo, mientras la tripulación del Centella Negra que recibió de los mercenarios ordenes e indicaciones y luego dejó caer dos racimos Cluster sobre unas manchas de bosque, afrontaba un castigo hasta de treinta años de cárcel dentro de un proceso muy político, muy militar y muy colombiano.

La crónica de Karl Penhaul, titulada *El ataque aéreo* surgió en San Francisco luego de que los tripulantes colombianos presionados para que guardaran, ese sí, el silencio de los inocentes, y ante los compases de opereta del proceso, resolvieron abrir la boca y solicitarle a la juez militar:

—Mi capitana, que llamen a los gringos a responder por esto.

La noticia se filtró y un diario colombiano reprodujo la crónica y, ¡oh Dios!, la explosión del superior de tantos superiores.

Desde luego, dos años y medio antes, cuando la Fiscalía General de la Nación participaba en el proceso, sus investigadores solicitaron a la embajada de los Estados Unidos información sobre los pilotos estadounidenses comprometidos en el ataque y la embajada respondió con una comunicación breve en la cual decía que Orta, Denny y McClintock no eran empleados contratados por el gobierno de su país.

Justamente ése es uno de los motivos por los cuales los estadounidenses subcontratan con mercenarios las guerras que hacen fuera de sus fronteras.

Un ejemplo de los resultados de estos conflictos en manos de contratistas estadounidenses había ocurrido en Perú un poco antes.

Cuatro meses después del derribamiento de una aeronave estadounidense con misioneros estadounidenses a bordo sobre la selva Amazónica, el Congreso en Washington no había sido informado oficialmente sobre qué compañía contratista manejaba el avión de reconocimiento que el 20 de abril del Dos Mil Uno le ordenó a la Fuerza Aérea peruana ametrallar la avioneta en la cual murieron una señora y su pequeña hija.

Apenas en agosto los investigadores del Congreso hallaron la pista de una firma llamada Corporación de Desarrollo de Aviación, ADC, que funciona desde Alabama.

The New York Times dijo luego: «Nadie en ADC se ha mostrado dispuesto a hablar. Tampoco lo han hecho la CIA, el Departamento de Estado o la Casa Blanca».

Haciendo eco a una típica efervescencia en Colombia, la revista *Cambio* preguntó el 18 de junio del Dos Mil Uno: «¿Quién autorizó la intervención de extranjeros en una misión militar colombiana y en suelo colombiano? ¿Por qué razón se le entregó autonomía a esos extranjeros para comandar la operación?».

Y el superior de todos los superiores del aire, le respondió: «Me hallo realmente muy molesto y muy indignado y muy enojado porque las indagatorias de mis subalternos se hayan filtrado a la prensa».

El Tiempo: «Polémica porque un avión estadounidense con pilotos estadounidenses al servicio de una petrolera estadounidense haya servido de soporte a la Fuerza Aérea colombiana».

Según el *San Frauncisco Chronycle*, todo comenzó cuando el piloto del Centella le repitió a la juez militar:

«—Señorita juez, mi capitana, las coordinaciones fueron hechas directamente con helicópteros ametrallados que nos estaban ayudando y con el avión Sky Master Cessna 337 volado por pilotos gringos.

»Luego —continúa el diario de San Francisco—, el segundo al mando en el helicóptero colombiano le dijo a la misma juez:

»—Mi capitana, el piloto del Sky Master escogió los sitios para que las tropas desembarcaran señalando las áreas vulnerables y señalando la presencia de la guerrilla. Los pilotos del Halcón Negro y del Sky Master fueron los que llevaron al piloto de nuestro helicóptero a identificar el objetivo con ayuda visual desde tierra.»

»—No acepto convertirme en un chivo expiatorio —declaró a última hora el capitán colombiano en el juzgado».

Pese a la publicidad del caso y a los detalles entregados por el diario, Human Rigts Watch en Washington y las ONG de San Francisco, Los Ángeles, Nueva York y Miami —que hasta el momento habían sentenciado públicamente a los pilotos colombianos—, esta vez guardaron el silencio de los sepulcros.

Finalmente el diario de California tocó en forma superficial un tema enrarecido para cualquier civil colombiano, cual es el laberinto de las contrataciones mediante las cuales son beneficiadas las compañías extranjeras. Aquí ha sido una costumbre histórica que en estos casos, invariablemente el mayor peso sea soportado por una empresa colombiana llamada Ecopetrol. Y dentro de ese juego económico, emerge sin buscarla la participación del ministerio de Defensa, del Ejército y de la Fuerza Aérea de Colombia (FAC), lo cual parece explicar el secreto, el silencio, el control sobre la realidad de lo ocurrido en Santo Domingo aquel domingo trece.

El *San Francisco Chronicle*:

«Un funcionario de Ecopetrol en Caño Limón dijo que la Occidental siempre ha tenido fondos para el avión Sky Master: "He confirmado que el avión es pagado a Air Scan por Occidental a través de un contrato que ha tenido varios pasos, ya sea, o por la sociedad Occidental-Ecopetrol o por el Ministerio de Defensa", dijo el funcionario.

»El director de Air Scan, John Manser hablando desde la casa matriz de la compañía declaró que el avión Sky Master y la tripulación fueron originalmente contratados por Occidental y Ecopetrol en 1997. La compañía entrenó entonces a las tripulaciones militares colombianas».

Sin embargo, a raíz de los combates en Santo Domingo, alguien de la Fuerza Aérea resolvió hablar de dignidad, un sentimiento muy ajeno a Colombia:

—No más particulares trabajando a nuestro lado —dijo, y luego propuso que compraran el Sky Master.

Lo compraron.

A mediados del Dos Mil Uno, un general que, desde luego, habló con la condición de no ser identificado, sacó a flote algo que está latente en un sector de la FAC:

«La Fuerza Aérea colombiana no acepta trabajar con mercenarios por el respeto que merecemos como país. En cambio, no sé qué les sucede al Ejército y a la Armada. De los de la Policía no hablemos. En Colombia los mercenarios vuelan aviones a los que les estampan la matrícula "Ejército" sin ser del Ejército y eso me parece muy grave y muy indigno; y los pintan y les ponen matrícula "Policía de Colombia" sin ser de la Policía de Colombia, pero al lado puede leerse "N" que corresponde a su matrícula original —uno le dice *November*— y significa, aeronave civil de los Estados Unidos».

Pero, además, a los mercenarios nadie los controla en Colombia. Y cuando digo *nadie* es na-die. Mire lo que ocurre en este país:

—Cuando un piloto civil, normal, llega a trabajar en Colombia a bordo de aviones con nuestra matrícula «Hotel Kilo», es decir, HK —avión civil regulado por autoridad civil—, tiene que aportar una cantidad enorme de documentos: visa de trabajo, exámenes médicos, homologación de licencias... No sé qué más requisitos, para que esa autoridad tenga la certeza de que ese piloto va volar correctamente, si es que lo autorizan finalmente a hacerlo, porque Colombia protege mucho el trabajo de sus pilotos civiles. Es decir: para que lo autoricen tiene que haber una necesidad imperiosa de que no existe en Colombia ningún piloto que pueda volar determinada aeronave.

»Pero ¿qué sucede con los mercenarios? Son pilotos civiles que llegan y vuelan un aparato al que le pusieron matrícula "Ejército", sin ser del Ejército; o "Policía", sin ser de la Policía —son naves "N", civiles estadounidenses— y esos mercenarios quedan fuera del control civil porque automáticamente se convierten en *Aviación de Estado*. Pero ahí no termina la cosa porque también quedan fuera del control militar: hoy la Fuerza Aérea vuela por su lado, el Ejército por el suyo, la Armada por el suyo, los policías por el suyo. Cada uno es una rueda suelta. Bueno, la Fuerza Aérea lleva en Colombia ochenta años y está absolutamente identificada con su doctrina y con su dignidad, pero esta gente del Ejército y esos policías vuelan por donde quieren. Mire que solamente a nivel de militares colombianos hay diferencias. Hablo de Fuerza Aérea, Ejército y Armada. Por otro lado van los policías. Vaya usted a ver lo permisivos que se volvieron el Ejército y los policías al aceptar que estos gringos vengan a hacer aquí lo que les viene en gana: ellos llegan, dicen que son los mejores del mundo, que no tienen nada qué ver con los militares colombianos, y los soldados y los policías les agachan la cabeza.

»Por otro lado, llegan con unos sueldos altos —los del Plan Colombia—, frente a los salarios que ganan nuestros pilotos, y... Si usted escribe esto, le van a responder: "Mentiroso. No es así. Usted es un terrorista. En estas empresas también hay pilotos colombianos". Bueno, sí. Muy pocos para tener las bocas de los colombianos calladas respecto a lo que sucede realmente, pero convénzase de una cosa: esto es un abuso abierto, sin límites... Yo me aguantaría hasta lo de los sueldos, pero como colombiano, como Fuerza Aérea, lo que no puedo aceptar es que venga una ola de extranjeros, de los cuales no conocemos sus capacidades, sus vicios, que son muy grandes, sus mañas, que son muy grandes, su estado físico, vengan, digo, a hacer lo que les da la gana. Eso me afana y me angustia. Y no hay en Colombia una autoridad que los controle. Vaya usted a Estados Unidos: la semana pasada nos detuvieron en Huston un avión Hércules porque dijeron que no llevaba algún permiso. Y tuvieron a noventa personas, desde la una hasta las seis de la mañana retenidas dentro del avión. Y al final, ¿Qué? "Lo sentimos: no faltaba ningún permiso. Salgan".

»Mientras tanto, aquí todos sus pilotos civiles que van llegando dependen de alguien en la embajada de los Estados Unidos y, por tanto, ni el Ejército de Colombia ni los de la Policía saben qué hacen ni en qué andan».

Revista *Prospect*, julio de Dos Mil Uno. Por Mark Bowden:
«El hombre encargado de garantizar que los Estados Unidos no se vean arrastrados por el embrollo violento, desgarrador, dramático y sin esperanza de la guerra civil más prolongada del hemisferio occidental, es el coronel Patrick Higgins, jefe del grupo militar de Estados Unidos que sucedió a una larga serie de jefes frustrados, el último de los cuales, el coronel James Hiett, se fue en un ambiente de deshonra al descubrirse que su mujer, Laurie Ann Hiett introducía heroína en las valijas diplomáticas del gobierno de los Estados Unidos, y él lavaba los dólares provenientes de ese tráfico desde la misma embajada.

»Higgins es un militar graduado en West Point, delgado, de profundos ojos azules, tan preciso que parece un corredor de fondo. Él dice: "En Colombia nunca tenemos a nadie que no necesite estar aquí".

»Mientras tanto, los contratistas privados del gobierno estadounidense están bajo el control de otra dependencia de la embajada».

Gracias al *San Francisco Cronicle* y a *El Tiempo*, que lo reprodujo, logró saberse en Colombia que:
«... la juez Penal Militar ha acusado a la tripulación colombiana de homicidio culposo y lesiones personales culposas y el capitán colombiano le solicitó que le exigiera a la tripulación del avión estadounidense los videos que fueron grabados segundo a segundo en la operación del helicóptero que él comandaba.

»Los videos eran prueba fundamental para demostrar que el helicóptero siguió las instrucciones, las coordenadas y las órdenes entregadas por los mercenarios estadounidenses, y que los militares no bombardearon por su cuenta.

»—¿Dónde están esas grabaciones? —preguntó la capitana.

»—El video hecho en el avión estadounidense fue guardado en instalaciones de la Occidental Petroleum Company, en su complejo de Caño Limón —respondió el piloto militar colombiano».

Cambio: «¿Por qué se confió a una multinacional petrolera la custodia de un material que ahora podría tener un impacto decisivo en la investigación? ¿Qué otras misiones cumplió la tripulación estadounidense?».

En la recurrente conferencia de prensa, un corresponsal extranjero preguntó por qué mercenarios estadounidenses le daban órdenes a la Fuerza Aérea Colombiana, y el superior de todos los superiores allí, muy molesto y muy indignado y muy enojado, respondió que si algo hubiera tenido que decir, se lo hubiese dicho a la juez que investigaba el *incidente*.

(La juez-capitana es subalterna suya.)

Por algo similar, unos años atrás Boris de Greiff, un respetable melómano colombiano, escribió:

«La música militar es a la música, lo que la justicia militar es a la justicia.»

El recuerdo ha hecho que el tiempo gire. Domingo trece. Antes de entrar en combate los pilotos militares se hallan lejos de su base. A las seis y quince minutos de la mañana el escenario es *El Virrey*, como el coronel «Dos» ha codificado en sus claves cifradas al campamento de la Occidental Petroleum Company.

Cuando irrumpieron los mercenarios del avión Sky Master, en el Aula «G» se advirtió una genuflexión profunda. La arrogancia de los combatientes nacionales parecía haberse diluido en el halo de obediencia que los arropa siempre que tratan con aquellas personas.

Por lo que contó inicialmente el que parecía mandar en los otros dos —alguien le había dicho míster Orta, y al otro, míster Denny, y al tercero míster McClintock—, los militares supieron que él era quien le había comunicado la víspera al superior que de acuerdo con información de inteligencia electrónica suministrada por el avión, se detectaba una concentración alta de terroristas cerca de Santo Domingo, y que un pequeño avión Cessna había aterrizado en la carretera: buscaba llevarse de allí a un cabecilla guerrillero, armas y cocaína.

Justamente ése había sido el punto de partida de la operación para interceptar la avioneta y capturar al amante de Narda Cabezas, a quien el coronel «Dos» no llamaba Grannobles sino Mandrake.

En lenguaje castrense y con estilo castrense y apoyado por un mapa y una proyección de videos realizados por el Sky Master, personalmente fue el mercenario quien escogió los sitios en los cuales debería ser desembarcada la tropa y señaló las áreas vulnerables y los puntos que según él ofrecían presencia de terroristas.

—Nuestra Sagrada Biblia es la información visual que nos proporciona el sistema Flir (*Forword Looking Infrared Radar*) de nuestro avión, y ante ella tenemos que orar esta mañana —dijo e inclinó la frente, y cuando unos segundos después volvió a despegar los labios, les aseguró que en una mancha de bosque señalada por él como «Cinco», había una jauría de terroristas.

—En ese punto debe ser «entregado» el primer dispositivo Cluster —les explicó.

Antes de terminar, les repitió que una vez en el teatro de operaciones, él y sus compañeros continuarían ayudándoles a identificar los blancos que acababa de señalar en el mapa, y remató como lo hacía Patton frente a sus divisiones de tanques:

—Nuestra memoria está en este mapa, en los videos y en los designios del Señor. Tenemos grabado lo de ayer y tendremos registros detallados de toda la operación, de absolutamente toda, así permanezcamos aquí varios meses. Con nuestros equipos no puede existir un espacio de tiempo durante el cual nosotros no hayamos grabado desembarco, apoyo de fuego, abastecimientos y movimientos de sus aeronaves en combate. ¿Okey?

—¡Okey!

Luego se elevaron y buscaron con sus ojos el blanco, y el blanco fue enmarcado por las circunferencias bajo los pedales y *go, go, go...*

Y, tres, dos, uno... ¡Ya!

Cuando el piloto del Centella escuchó la orden del mercenario, le ordenó al técnico que halara el cable de acero.

¡BUM! Un kilómetro al norte de las casuchas.

Al mediodía, que en el trópico son las doce, míster Joe dijo con su voz de mando que al parecer en la posición «Cinco» se producía ahora menos acción. Veinte minutos más tarde lo confirmó:

—Revisados videos del Sky Master... ¡Positivo! El fuego nutrido se ha reducido luego de la Cluster. Cito a una reunión con tripulaciones a las trece horas treinta minutos en *El Virrey*. Cambio y fuera.

A las trece horas, míster Orta indicó que Centella debía «entregar» un segundo racimo Cluster en otra mancha de bosque escogida y señalada por él.

Durante los combates en el día y buena parte de la noche, los militares colombianos estuvieron enlazados con el Sky Master a través del sistema VHF. Como Centella no posee piloto automático, ni sistemas, mucho menos radio de seguridad de voz, se comunicaba con míster Joe a través de los demás helicópteros. Por esa vía, el capitán habló con los mercenarios antes de incorporarse en el tramo final de ambos lanzamientos.

Igual que por la mañana, a las dos de la tarde le informó a míster Joe su posición a cuatro kilómetros al occidente de las casuchas, la altura a que flotaba para la «entrega» del racimo y el procedimiento que iba a efectuar, y míster Joe lo aprobó:

—*Okey... Go, go, go...*

Según el *San Francisco Cronicle*:

—El capitán del helicóptero dijo que los lanzamientos de los dos racimos Cluster fueron grabados por el avión Sky Master tal como lo había recomendado y luego supervisado la tripulación estadounidense, y eso le había dado la absoluta seguridad de no haber puesto en riesgo a la población civil.

Todo esto significa, aun para un ignorante en materia jurídica como uno, que las cintas grabadas por el avión de los mercenarios constituyen, o deberían haber constituido lo que los penalistas civiles conocen como plena prueba, porque en ellos está registrado todo lo que ocurrió el domingo trece. Pero en el proceso de la capitana no reinaba la plena prueba. Allí nadie vio los videos, ni escuchó a los mercenarios, ni oyó las voces antes y después del lanzamiento del primer racimo Cluster.

Justamente el asunto comenzó por filtrarse a la prensa estadounidense cuando se comprobó que habían desaparecido los videos, y esos videos eran la prueba reina en favor de unos militares colombianos de baja graduación; en ellos se hallaba la verdad de lo ocurrido aquel domingo.

El reportero que quería ser independiente —«No escriba mi nombre; temo que me calumnien»— se atrevió a señalar parte de estas cosas en una de las incontables conferencias de prensa, pero el superior del superior, le respondió:

—¡Eso es mentira! ¿Usted con quién está? ¿Conmigo? ¿O contra mí?

Tenía razón el general, pues una copia de los videos apareció en algún juzgado, fuera del juicio, fuera de tiempo y dentro del mecanismo de control y silencio con que se había manejado el proceso, dos años y medio después del *incidente*, pero estaba alterada: habían borrado y silenciado todo lo sucedido el domingo trece alrededor de las diez de la mañana. En ella no aparecían ni las imágenes, ni lo que se dijo en torno al lanzamiento del primer racimo Cluster sobre la mancha de bosque «Cinco», mil metros al norte de las casuchas de madera.

Ahora es agosto del año Dos Mil Uno, pero a la gente de Santo Domingo le parece que aquel tropel sucedió la semana pasada. En el Llano le dicen al atardecer «la prima noche», y cuando varía la dirección del viento, pronuncian «mudó el viento de camino». Una niña de diez años es «una zagaleta» y la gente no duerme profundamente, «está sepultada en sueño». Aquí el tiempo no muda de calendario, ni la gente sabe qué significa Estado. ¿La Ley? Sí, camarita, la ley la dicta la guerrilla.

Manuel Ladino, el hombre con la nariz como un punzón, el que bautizó el puente, el que se daba humos de guerrillero y ahora es guerrillero, cuenta cosas sin repetirle a uno varias veces «no cite mi nombre» ni «temo que me calumnien» ¿Qué significa la calumnia en aquellas *Repúblicas Independientes* dentro del Estado colombiano?

Manuel Ladino comienza con el relato y luego llegan otros. Uno de ellos se presenta como Francisco López, pero su orgullo es que lo llamen Chichicamo, como en Matagüire, donde nació. Los demás dicen pertenecer «a la sociedad civil». ¿Sus nombres? Luis Canay, Elisa Franco, Nema Castillo, Osiris Matus, María Aponte, Getulio Vaca. Entre todos van tejiendo su propia versión:

—Sobre esta carretera uno detiene el tránsito de camiones, y las avionetas bajan: entran armas, entra dinamita, entra dinero, entran productos químicos para cocinar cocaína, llegan con gente «retenida»... Y sale cocaína cuando la hay, y sale comida cuando la hay. Mire una cosa: éste es un punto logístico que la guerrilla no puede perder. Por eso, ese día la gente siguió combatiendo después de que se fue la avioneta del capitán. ¿Cómo se llama ese guate? Le decíamos Solová. Anda íngrimo en ese avioncito. Ese día... ¿Qué día era? ¿Un sábado? Sí. Un sábado. Ese sábado, ¿para qué iban a retirarse los guerrilleros si ya le habían dado plomo a los primeros helicópteros y sabían que el Ejército iba a regresar? Éste es un lugar estratégico. Aquí no entra la ley. Y si la ley quiere venir, tiene que aparecerse acompañada por el Ejército: doscientos hombres, trescientos hombres, pero después de lo de ese sábado y ese domingo y ese lunes... Bueno, fueron como dos semanas, ¿verdad? Después de eso no deben tener muchos deseos de regresar. Ese día el comandante Chancho era el que dirigía la guerra. ¿Por qué? Porque para la guerrilla tanta faramalla era un reto ¿Faramalla? Sí, jodetería, joda, que vienen a jodernos. Chancho dice que aquí vive la guerrillerada porque donde uno vive es en su casa. Esta tierra es de ellos.

»El domingo temprano la guerrilla le ordenó a los habitantes que se vistieran con ropa blanca si la tenían, y también muchos de ellos se vistieron de civil, y todos salieron a caminar por la carretera como si estuvieran tranquilos, de manera que el Ejército los viera en calma y se viniera, y cuando llegaran, ¡ta!, la emboscada. Los soldados no vinieron.

»¿Sabe cómo es el mejor cuento de esa guerra? En medio de los combates, por las noches o antes de que clareara el día, y algunas veces en el mismo día, la guerrilla empezó a sacar muertos de la mata de monte y a traerlos aquí y a acostarlos, unos patas arriba, otros boca arriba, otros de cuadril. Los traían y los colocaban al lado de la carretera, cerca de las casas, cerca del camión de Culosudao. Unos muertos tenían plomo en el cuerpo. Otros estaban... No muy despedazados, porque de la mata de monte trajeron los que vieron más intactos.

»Antes de que colocaran muertos de esos junto a los cuerpos de los que mató la onda del camión, vino el personero con unos tipos de la Fiscalía, tomaron fotografías y encontraron tiros en los techos, pero hechos de adentro para afuera. Uno disparaba de abajo hacia arriba, de adentro hacia afuera a ver si tumbaba un helicóptero. Es que uno no lo niega: la guerrilla estaba aquí en el pueblo. Ésta es su casa.

»Después, todo fue pa mierdas, porque cuando los guerrilleros dejaban de traer cadáveres de la mata de monte, aparecían los del Ejército. Los del Ejército no trajeron muertos de la mata de monte sino pedacitos de metal quemado que quedaron como recuerdo de la bomba, y los colocaban ahí, al lado del pueblo. Y cuando ya estuvieron bien colocados, vinieron otros y tomaron fotografías de las tales esquirlas de bomba, y se fueron.

»Mire: yo no sé pa qué carajo los del Ejército trajeron pedazos de bomba y pusieron a la gente a traer pedazos de la misma bomba que cayó en la mata de monte, ésa de allá. Nadie sabe qué querían esconder ellos, porque cuando llegaron aquí, los mismos del Ejército le dijeron a la población, y no una vez sino muchas veces, que lo que había matado a los niños no había sido el camión sino una bomba. ¿Cuál bomba en el pueblo? ¿En que andaban los milicos? Problema de ellos.

»Lo que sí sé, y todos se lo van a decir igual, es que los guerrillos y la gente del pueblo en ese momento querían esconder que el explosivo que estalló de verdad fue el camión y lo que mató a los niños y a unas mujeres fue el camión. Ellos tenían que acomodar las apariencias para culpar de la mortandad de niños y de mujeres a las bombas de los helicópteros. ¿Por qué? Pues porque el camión estaba cargado con dinamita esperando al Ejército: camión bomba, ¿me entiende? Y se lo iban a hacer estallar cuando los soldados se acercaran, pero es que en una guerra. ¿Quién calcula? Para la población, las balas de un helicóptero que pasó ametrallando le pegaron al camión, y el camión, ¡Pun!, hijueputa: voló y mató a esa gente.

»¿Sabe quiénes fueron los que se la pillaron? Los de la Fiscalía. Esos manes dijeron desde el comienzo que la explosión del camión era como los agujeros de las tejas de las casas: de abajo parriba y no de arriba pabajo.

»¿Los muertos? Después de que los filmaron patas arriba y de cuadril sobre la tierra, les tomaron fotos y los cargaron en un camión y se los llevaron de aquí. Un reguero de muertos, todos revueltos: niños y grandes, los que trajeron de la mata de monte con los que cayeron al lado del camión, con los de dos que ametrallaron al lado de la carretera... ¿Necropsia? ¿Qué los hubieran abierto para mirarles los intestinos? Qué va. Eso no lo hicieron, ni nadie preguntó en qué lugar había caído muerto cada uno, ni hicieron croquis, ni dibujos del terreno, ni un coño. Los cargaron como si fueran ganado en canal... ¿Necropsia? Oigan a éste ¿Usted en qué país cree que vive?»

San Francisco Chronicle:
«Frase del piloto del helicóptero que lanzó el explosivo Cluster: "Éste no es el resultado de una guerra militar o de ideas, sino el resultado de una guerra de intereses económicos que desafortunadamente está viviendo nuestro país".

Tempestad de fusiles antes del amanecer

Los diez mil fusiles soviéticos no vinieron del cielo como dijo una tarde un vocero de las FARC —la guerrilla más numerosa de Colombia— haciendo bromas ante los periodistas. No. Los fusiles se los lanzaron desde un avión ruso sus enemigos, como pretexto para justificar una guerra.

La historia de los Fusiles AKM Kaláshnikov calibre Siete Sesenta y Dos, por los cuales las FARC le pagaron veinte millones de dólares a Valdimir Ilich Montesinos, diez veces más de lo que le costaron al Doc —como le dicen a Montesinos en el Perú—, es un episodio absolutamente coherente dentro de los parámetros de la estrategia militar: un enemigo que arma a la guerrilla para luego utilizarla, un sargento que se viste como general y un coronel que no es coronel ni militar, sino narcotraficante; tres contratos de Estado en los cuales el escudo del Perú no es del Perú; unas armas jordanas que no pertenecen a Jordania, un avión ruso que no es de Rusia sino de Hungría.

La historia de la lluvia de fusiles en madrugadas de marzo, julio y agosto sobre la selva amazónica colombiana, tiene dos personajes iniciales: Vladimiro Ilich Montesinos, hijo de un comunista, pero enemigo de los comunistas, y Sarkis Soghanalian Kupelian, nacido en Turquía, pero miembro de una legendaria familia de traficantes de armas armenios. O armeninos, como usted prefiera llamarlos.

Cuando el dictador del Perú Juan Velasco Alvarado resolvió hacerle la guerra a Pinochet, Montesinos-Vladimiro-Ilich era oficial del Ejército y cargaba el maletín del general que determinó la compra de un inmenso arsenal a la Unión Soviética. Pero la información de lo que iba adquiriendo el Perú llegaba primero a la embajada de los Estados Unidos que al Consejo de Ministros.

Tras la caída del dictador, Montesinos falsificó un permiso del Ejército y se escapó a Washington, invitado por el gobierno de los Estados Unidos. El agregado militar peruano comprobó allí sus entrevistas con Robert Hawkins en el Office of Current Intelligence de la CIA. A su regreso fue apresado y expulsado del Ejército. La embajada estadounidense en Lima pidió excusas al gobierno peruano por el incidente.

Se desplegó el tiempo. Vladimiro Ilich llegó al poder, inventó la guerra Perú-Ecuador y, *porque así lo desea el Presidente*, se gastó cuatro mil millones de dólares en un arsenal de chatarra en Rusia, Bielorrusia, Ucrania, y se hinchó los bolsillos de dinero.

Fernando Yovera, estudioso de los asuntos militares peruanos, pero, además, conocedor de muchas cosas íntimas de su país, deja descansar la cabeza sobre el espaldar de su silla y comienza recordar:

«La guerra con Ecuador. A la hora de disparar nos encontramos en los hangares con una flota de aviones de combate soviéticos que se caían a pedazos, y más allá, cerca de quinientos tanques T54 y T55, pero la mitad no funcionaba: se malograron las baterías, se pudrieron los periscopios, las máquinas no servían para nada. Estábamos desesperados por armamento, era necesario comprar armas de donde fuera. De buenas a primeras nos ayudaron los cubanos. Para los misiles Strella, los SAM 7 antiaéreos que se disparan desde el hombro, Cuba nos envió las cargas de proyecciones que son los motores. Si a esos motorcitos no los mantienen, se pudren y no sirven. Aquí no habían mantenido nada. El ministro decía que no había dinero y dejó que todo se arruinara. Por eso no teníamos defensa antiaérea de corto alcance cuando atacamos Tiwinza, una posición ecuatoriana. Allí la superioridad aérea fue de los ecuatorianos.

»En aquel momento la desesperación del gobierno de Alberto Fujimori era comprar lo que fuera y donde fuera. Se le compró a Singapur un lote de ametralladoras y otro de fusiles. Se "redireccionó" armamento gringo que nos habían dado para la lucha antidrogas y se hallaba cerca de la frontera con Ecuador. A los gringos se les pusieron los pelos de punta; todo un problema.

»Y por supuesto, utilizando al Servicio de Inteligencia Nacional, una entidad en la cual parecía el jefe sin ser el jefe, Montesinos comenzó a hacer operaciones de triangulación para adquirir armas en diversos sitios y halló que estando en el poder, ése era un magnífico, un estupendo, un fenomenal negocio. "Es tan fácil", decía: "Basta con falsificar un certificado de destino final.... Cualquiera puede firmarlo".

»Él compró miles de fusiles israelitas Galil y centenares de carros de transporte militar Commandcar, equipos de interceptación telefónica para la Fuerza Aérea. Lanzagranadas, morteros y cohetes, RO-107... Compras sin licitación ni supervisión de alguien, igual que lo hizo con misiles y repuestos destinados a las fragatas. De acuerdo con las autoridades

de Italia se habría pagado una comisión que supera los 800
mil dólares, al contado, por asunto de la guerra con Ecuador.
Más tarde la marina realizó otras compras a Otto Melara de
Italia por otros 26 millones de dólares.

»En esos años se juntaron armas de todo lado, se buscaron raciones de combate, visores nocturnos, todo comprado
en el mercado alterno. El alterno es el mercado semilegal, un
mercado para naciones que están más interesadas en las fechas de entrega que en el precio o la procedencia. Las fechas
de entrega son clave para ganar una guerra y en ese momento, Dios mío, había guerras apagándose, existencias de armas
que se estaban pasando, una Unión Soviética que se caía a
pedazos. El bloque soviético lo que más tiene son armas. Montesinos sabía muy bien que estaba manejando una mercade-
ría fabulosa para la cual hay clientes en todo sitio. Él y su
gente descubrieron en esta forma que había un enorme *sur
plus* para vender a precio de quema.

»A esta altura, Vladimiro tenía a su servicio una organización mundial con el máximo poder, basada en los agregados militares o personas enviadas por él a las diversas
embajadas. Bajo la cobertura diplomática, esa gente podía trabajar como un servicio de inteligencia exclusivamente a su
servicio. Se trataba, ni más ni menos de su propia *Odessa*, como
la había soñado desde cuando era teniente del Ejército. No
quiero hablar de lo que lo que se hizo a través de Bulgaria ni
qué paquetes se transportaban en las valijas diplomáticas que
se movían a Moscú, a Ucrania, a París, a Amsterdam, a Tel
Aviv, uno de los paraísos fiscales más poderosos del mundo:
un blanqueadero de dinero sin medida...

»Mire usted: Vladimir realmente es un gran marquetero.
Es uno de aquellos tipos que ven buenos negocios en toda
circunstancia. Por eso convirtió a la inteligencia en una gran
industria. Lo que no pudo hacer Noriega en Panamá o tal vez

su cerebro limitado se le impedía, Montesinos lo inventó en el Perú.

»Con ese tinglado a su servicio, él revivió un viejo negociado de los agregados militares latinoamericanos en Europa, como es el de ordenar que el suboficial mecanógrafo que trabaja para ellos firme los certificados de destino final y a partir de allí cualquiera puede comprar un lote de fusiles diciendo que van para el Perú pero terminan en otro lado. A esa altura del conflicto, Montesinos ya tenía contactos con la guerrilla colombiana y sus enemigos, los paramilitares ¿Por qué no venderles a ellos?»

Pasó el ruido de la guerra entre Perú y Ecuador, y una tarde Montesinos se quedó mirando en un mapa la frontera con Colombia, la selva, el río Putumayo, levantó los brazos: «¡Dios!» exclamó en presencia del analista de «inteligencia» más cercano a él durante los últimos ocho años.

Tras la caída del gobierno, en el Perú muy pocos admitían haber conocido al Doc, y cuando alguien lo hacía y accedía a contar historias —como lo hizo el analista— decía:

—Si usted revela mi nombre, seré hombre muerto.

Versión del analista:

—Esa tarde el Doc estaba feliz. Su amigo de la CIA le había anunciado que en Washington se gestaba algo llamado Plan Colombia. A pesar de las circunstancias, en esos días Vladimiro tenía la sensación de que aún era mirado por la CIA como a aquellos traidores, soplones, mercaderes, traficantes de información que tratan con ella. Sin embargo, su inmensa ventaja era que él podía trabajar a ambos lados del muro desde cuando se convirtió en el enlace oficial del Perú con todos los organismos de inteligencia con los cuales tiene relaciones nuestro Estado.

»Él recordaba la tarde que vivió un viejo rito de la CIA cada vez que un nuevo jefe del servicio de inteligencia de estos países, o virtual jefe, o el tipo que tiene que ver con las relaciones con los Estados Unidos, especialmente en la parte oscura, viaja a Washington para una reunión con el jefe de la CIA (puede ser el director o el jefe de operaciones). Él contaba que habló con el segundo. La reunión, como es costumbre, se llevó a cabo en un pequeño crucero que navegaba por el Potomac, «a bordo del cual los dos dignatarios nos dimos la mano, hablamos y pactamos». Allí hay pactos escritos, no escritos, muchas veces ellos piden, qué te digo: un nivel de cooperación en virtud del cual tú les vas a dar acceso a toda clase de informaciones. Luego el visitante pide un salario, Vladimiro Ilich lo pidió, y le abrieron una cuenta en la cual especificaron una cantidad anual fraccionada en períodos. "Al final de mi gestión me darán una visa de residente en Estados Unidos para mí y para mi familia".

»Ahora Montesinos no sólo estaba obligado a entregar información sino que tenía derecho a decirles: "No miren, esto es cosa mía". O, "Es interés de la Nación, porque la patria, bla, bla, bla...". Y a medida que iba conversando, recitaba algunas veces dos palabras clave que se utilizaron mucho en la era de Nixon pero que habían vuelto a sonar en la CIA: *plausible deniabiliti*.

»*Plausible deniabiliti*, decía él, es un eufemismo según el cual, todo es explicable pero tiene que ser plausible.

»En este caso la teoría dice que es estratégico organizar una guerra en Colombia, pero ya no van a ser los agentes de la CIA, o personal entrenado por la CIA los que se dejarán ver por allí. Qué va. Allá ya han comenzado a mandar contratistas civiles, es decir, mercenarios, de tal manera que si alguno es capturado pueden probar en una corte que el mercenario no es empleado del gobierno. Por ende, el gobierno estado-

unidense no está envuelto en nada. Por eso su gobierno subcontrata, privatiza sus guerras. Sistema que, de paso, representa también un enorme negocio: todos esos agentes
desempleados y asesinos a sueldo encuentran trabajo en conflictos como el colombiano, y una vez allí, su misión consiste
en llevar las cosas a más, y a más, y ampliar las dimensiones
del conflicto. Desde luego, con eso están creando la necesidad de consumir más y más armamento y más y más tecnología, y más abastecimientos, y más... ¿Y quién suministra todo
eso? Pues la industria estadounidense.

»Visto desde su moral, que es lo *políticamente correcto* —como
también está de moda decir ahora—, todo esto es, no solo
muy explicable, sino muy justificable. Y muy plausible. ¿O,
no?

»En ese momento, Vladimiro ya tenía el acuerdo con la
CIA, con varios servicios de inteligencia de Europa y Asia, y
en América Latina con todos. Por ejemplo, con México hizo
una movida de ajedrez. En ese momento había aparecido en
escena el subcomandante Marcos, y Montesinos dejó saber
que Marcos había sido entrenado por Sendero Luminoso en
el Perú. Los mexicanos, que hasta entonces no tenían la menor idea de quien era Marcos, mandaron una delegación a
Lima para enlazar con el Servicio de Inteligencia y averiguar,
y tomar nota, y tal. Al final se descubrió que aquello era mentira, pero ya Montesinos había establecido una relación personal con ellos. México es estratégico y vital como paso de
droga hacia Estados Unidos, y tráfico de armas y lavado de
dinero, y ese contacto era muy importante para sus planes.

»Bueno, pues para Vladimiro esa tarde, el Plan Colombia
comenzó a significar un verdadero supermercado, un industria, una lotería. ¿Por qué? "Tú sabes que normalmente —explicaba el Doc— los mejores negocios del mundo se hacen en
una nación en guerra. Piensa —me decía— en una Colombia

llena de coca, de dólares, de militares criminales, de armas, de angustias, de refugiados, sobre todo teniendo una frontera tan amplia y tan clandestina con nosotros como es la selva del Amazonas. Allí hay campo para hacer negocios hermosísimos. En nuestra frontera del río Putumayo podremos negociar misiles, piezas de artillería, combustible, comida, medicamentos... El Perú tiene que estimular esa guerra. Que esos hijos de puta se maten entre ellos. Nosotros seremos los ganadores".

»El Doc tenía claro que, según la decisión de Washington, Colombia tendría que invertir millones de dólares en un área que él podía manipular. Y empezó a jugar a eso: Perú movilizó dos mil hombres a la frontera del Putumayo, porque supuestamente la guerrilla de las FARC estaban moviéndose en zona peruana. Eso fue un sainete porque esa guerrilla viene haciéndolo desde hace años, pero conserva el área quirúrgicamente limpia de incidentes para que nadie mire hacia allá, ni nadie se queje. Allá, como dicen los lancheros de aquel río, la guerrilla no hace olas. ¿Por qué? Porque es su área de aprovisionamiento: entra armamento de contrabando de Ecuador y de Perú, ésa es su ruta de acceso. Y sale droga, se mueve dinero, se mueven los jefes gerrilleros. Tú nunca vas a malograr tu puerta trasera. Sería un suicidio.

»Entonces, Montesinos estaba listo para manejar parte de los ingentes beneficios de este nuevo problema. No sólo a través de él iba a fluir una parte de la inversión en la guerra, sino que, al aumentar los gringos el tiempo de sus operaciones y su financiación a las de los colombianos, por supuesto iban a aumentar también las angustias de la guerrilla y, ¿a quien le iban a comprar si no era a Montesinos que se hallaba al otro lado de la frontera con la tienda abierta? *Open for business*, decía el Doc cuando hablaba de estas cosas. O, *Sale* que en el lenguaje de la selva quiere decir *Entre*.

»Imagínate que este hombre al otro lado puede controlar qué entra, qué no sale, quién se mueve. Por supuesto, todo debe pasar por caja y en todo esto Montesinos es un experto.

»La movilización hacia la frontera fue una operación simplemente política revitalizando a Fujimori para la tercera elección y para presionar a la guerrilla colombiana a que comprara material de guerra: "Es una obligación quedarnos con parte de los 1.500 millones de dólares que le deja al año el narcotráfico a esos terroristas", decía Montesinos».

—Al comienzo de la historia, Montesinos llevó a Fujimori a criticar el Plan Colombia en un discurso en el Colegio de Guerra en Washington, famoso en su momento porque el Chino, como le dicen en Perú a Fujimori, atacó a Colombia y la declaró un peligro continental, no porque lo estuviese pensando sino porque Montesinos le dijo que debía decirlo así, en esos términos. En ese momento, Montesinos se hallaba vendiéndose a sí mismo. Es que el Doc se especializaba no sólo en venderse sino en convencer a todo el mundo de que era irremplazable. Es que Montesinos tenía que ser irremplazable, no importaba a quien se llevara por delante. Él pensaba que era la estabilidad, el manejador, el gran hombre detrás de bambalinas.

»Originalmente para él, el Plan Colombia significaba un problema porque en realidad, ¿para qué los gringos si el Perú podía arreglar el asunto? Y en su libreto llegó a diseñar un plan para invadir a Colombia y tuvo la desfachatez de mostrarlo a través de la televisión... Bueno, ésta es parte de esa historia que sólo creemos posible los suramericanos. Mira: Montesinos le entregó un papel a su amante, la presentadora de televisión Laura Bozzo, en el cual resumía su propia estrategia para asegurar la frontera con Colombia, y según el libreto, solucionar el problema.

»Por supuesto los militares peruanos escucharon, levantaron las cejas, dijeron "Bueno, sí, claro", pero nadie dio el grito de guerra. Desde luego, Montesinos estaba preparando el ambiente porque creía como nadie en la bondad de una operación *psicosocial*: ablandar al público, mentalizarlo en lo que él quería. Por eso le entregó a Laura una copia de su plan y ella, en su programa morboso de parejas infieles que se parten la cara frente a las cámaras de televisión, se apartó del espectáculo por unos minutos y disparó una exposición de Estado Mayor. En un programa de hombres y mujeres que se azotan, y amantes que confiesan sus traiciones, esta mujer hablaba de táctica, de penetración, de grupos de avanzada. Según aquel programa, se trataba de una operación armada muy rápida que eliminaría los puestos de descanso y abastecimiento de la guerrilla colombiana, y sellaría para siempre la frontera.

»Detrás de todo, el Doc sabía que volvería a convertirse en el socio clave de los Estados Unidos. Su estrategia era hacer que su precio subiera. "Después, los gringos tratarán de convencerme de que el Plan Colombia que vale es el de Washington", decía sonriendo. "Es que la mejor manera de subirse el precio es criticar el producto del vecino y luego decir que tú tienes uno mejor, aunque sea una barbaridad porque va a incendiar la región". Y así sucedió. Sus amigos de la CIA finalmente le dijeron: "Vladimiro: vente con nosotros. Te daremos una tajada más grande en el negocio".»

Una vez embarcado en la operación, el cuento de Montesinos fue sencillo: el Perú necesita enriquecer su arsenal, pero no puede comprar armamento: se encuentra en un proceso de pacificación con Ecuador y sobre los dos países pesa un embargo en ese sentido. Por lo tanto, la cortina de niebla, el gran pretexto para enmascarar la operación, es hablar de un negocio silencioso entre dos Estados.

SARKIS

El segundo protagonista en escena es Sarkis Soghanalian Kupelian, un negociante de armas a quien una fiscal estadounidense bautizó con título de culebrón de televisión. *The Boston Globe* dijo citando a la funcionaria de la fiscalía Susana Tarbe: «Soghanalian está orgulloso de ser *el mercader de la muerte*».

Desde luego, él piensa otra cosa: «Yo no vendo armas para matar sino para la defensa de la civilización. Hago negocios de gobierno a gobierno».

Nació en Turquía hace 72 años, creció en una zona empobrecida de Beirut, Líbano, donde fue pandillero juvenil, y hoy tiene ciudadanía jordana y estadounidense a la vez.

Al esbozar un perfil, Ángel Páez escribe en *La República* de Lima:

«Sarkis es conocido ampliamente como colaborador de la CIA. Durante el conflicto entre Irak e Irán organizó una operación para vender helicópteros de fabricación norteamericana a Saddam Hussein en pleno bloqueo decretado por Washington.

»Después, Sarkis Soghanalian trabajando para la CIA en Nicaragua, surtió de armas a los "contras" dirigidos por Edén Pastora. Más tarde, enfrentó un proceso judicial y fue condenado a cinco años y medio de prisión por haber seguido vendiendo armamento a Saddam Hussein, pero la CIA presionó para conseguir su libertad. A Estados Unidos Sarkis le resulta más útil libre que en prisión».

En los años cincuenta, Sarkis fue una especie de asesor del presidente libanés Camille Chamoun, quien le presentó al rey Hussein de Jordania. Sarkis fue luego uno de los hombres de confianza del rey.

Cuando estalló la guerra civil en Líbano, huyó y se instaló en Nueva York donde abrió un negocio en el garaje de su casa: acopiaba armamento que luego vendía a los libaneses cristianos. Según Murray Waas, autor de *El hombre que armó a Irak*, por esa época empezaron sus contactos con la CIA.

Según Páez:

«El abierto anticomunismo le permitió a Sarkis tener contactos con la CIA y con aquellos gobernantes con los que trabajaba esa Agencia: el dictador de Nicaragua, Anastasio Somoza, el de Filipinas, Ferdinando Marcos, en Argentina el general Leopoldo Galtieri (lo dotó de armas durante guerra de Las Malvinas), y en lo de la guerrilla colombiana trabajó hombro a hombro con Montesinos».

Sarkis dice que sus cuentas personales mueven un millón de dólares al año.

REPARTO

Otros actores de reparto en esta lluvia de fusiles son Charles Acelor y el ex piloto israelí Moshe Rothschild, quien le vendió a Montesinos aviones de combate MIG 29 y Sukhoi 25.

Unos meses después del negocio, Sarkis le dijo a la prensa:

—Los peruanos fueron estafados con los aviones de Bielorrusia. El negocio que hizo el Perú fue malísimo. Los peruanos fueron estafados por los traficantes de armamento relacionados con Vladimiro Montesinos. Esos aviones de Bielorrusia eran sobrantes. Sus bitácoras de vuelo no les correspondían, pertenecían a aviones en mejor estado. Montesinos compró aeronaves muy baratas porque tenían defectos. Por ejemplo, no podían instalarles los nuevos misiles porque los soportes no aguantaban el peso. Y el radar también estaba

defectuoso. Compraron equipos obsoletos. Después de todo
lo ocurrido, ni los rusos van a querer modernizar esos aviones comprados a Bielorrusia.

Entre todos los traficantes de armas que surtieron al Perú
durante su guerra con el Ecuador, el ex piloto israelita era uno
de los amigos más cercanos a Vladimiro Ilich. La mayoría de
los helicópteros que tiene el Ejército y la Policía Nacional fueron vendidos por él. Como en todos estos casos, su negocio
consistía en obtener los aparatos en el mercado negro y reven-
derlos a precios que no correspondían a la realidad.

Acelor, un franco-estadounidense, fue esposo de la con-
desa Gisela Augusta, familiar de los fabricantes de helicópteros Augusta, por lo cual les vendió varios al Ejército y a la
marina del Perú. Así se vinculó con Montesinos, y según una
investigación penal del Perú, el Doc le encomendó el manejo
del dinero entre la selva colombiana, Caracas, París, Tel Aviv,
Jordania y España.

Pero Acelor no es propiamente un conde. Según Interpol,
el 17 de agosto de 1995 fue detenido en Miami por posesión de
dinero falso. Tres años después, lo volvieron a capturar por
lavado de dinero, y el 31 de julio de Dos Mil, cayó por fraude,
también en Estados Unidos. Semanas antes había robado a
Sarkis y a Montesinos tras el negocio de los Kaláshnikov.

AYBAR

El ex teniente peruano que decía ser capitán pero vestía
como coronel en Jordania se llama Luis Aybar Cancho y manejaba Nippon Corporation, una de las múltiples empresas
de fachada del Servicio de Inteligencia Nacional montadas
por Montesinos. Según la Fiscalía, cuando se inició la operación de los fusiles para la guerrilla, en enero de 1998, el teniente Aybar y sus hermanos ya comerciaban con cocaína.

La función del teniente era hacer contacto con a la guerrilla a través del narcotráfico peruano y coordinar toda la logística del transporte de las armas. Según el proceso iniciado por la magistrada Selinda Segura y ahora a cargo del trigésimo tercer juez penal de Lima, Marco Lizárraga Rebaza, sus contactos en la guerrilla FARC fueron dos hombres que él identificó como «Heriberto Rincón» y «Maguiver», que se movían en torno a un punto selvático llamado Barrancomina, área sobre la cual fueron lanzados los fusiles.

Inicialmente el teniente fue diez veces a Colombia. Luego, en junio y agosto de 1998 viajaron a Lima enviados de las FARC. Las reuniones se efectuaron en las oficinas de Nippon Corporation, séptimo piso de la Avenida Paseo de la República, 291.

Según el mismo proceso, un narcotraficante le informó a la DEA que los Aybar utilizaban la vía marítima para traficar con droga a Rusia. El documento oficial dice que uno de sus contactos fue el secretario del cónsul ruso Vladimir Pajomov, quien trabajó en el Perú seis años.

En el proceso penal se anota que cuando los Aybar fueron descubiertos, «en lugar de terminar presos se convirtieron en los protegidos de Montesinos y desde ese momento se iniciaron en el negocio del tráfico de armas». Y agrega: «Los Aybar se movían en el circuito global de la mafia rusa. En diferentes ciudades rusas pagaban con cocaína las armas que compraban allí mismo».

RUEDA LA PELÍCULA

De acuerdo con la investigación del congreso peruano, para la operación se recurrió aun viejo colaborador de la CIA: el rey Hussein de Jordania (*Las guerras secretas de la* CIA, Bob Woodward, 1988).

El hombre de confianza del Rey en esta clase de negocios era Sarkis, colaborador de la CIA. Y Sarkis fue conectado con Montesinos, colaborador de la CIA.

«Alguna gente nos llama vendedores de armas. Otros nos dicen traficantes, pero recuerda una cosa: hay armas que no son vendidas por personas como nosotros: el propio Departamento de Estado, el Ejército de los Estados Unidos y el Pentágono mismo lo hacen; tu propio gobierno, el del Perú, es vendedor de armas, Argentina igual. Menem y sus ministros son vendedores de armas. ¿Entonces?», le dijo un día Sarkis al periodista Ángel Páez de *La República*.

Sarkis manejaba los negocios desde Jordania. Acelor, desde Miami. Aybar se movía entre el Perú, la selva colombiana, Venezuela y Jordania.

El 23 de diciembre de 1998 fue suscrito el contrato PD/132/98/16 que habla de los primeros 2.500 fusiles de asalto Kaláshnikov a 55 dólares cada uno: 137.500 dólares, valor para Montesinos. Las FARC le pagaban diez veces más a Montesinos.

En representación de Perú firmó el «coronel» José Luis Aybar Cancho y por la parte jordana, los generales Abdul Razeq I Abdullah, director de la adquisición, y el presidente de la Junta de Jefes de Estado Mayor, Abdal Hafez M. Kaabneh.

Según Sarkis, «Montesinos también quería comprar gran cantidad de misiles rusos Strella SAM 7, que inmediatamente cambiarían el balance de poder en Colombia si son obtenidos por los insurgentes».

Cuatro días más tarde de firmado el contrato se intentó el primer vuelo. Sarkis consiguió un Boeing 707 árabe que alcanzó a ser cargado, pero el teniente Aybar canceló la operación. «Esa vía es muy obvia», dijo, y partió hacia Miami con Juan Manuel López Rodríguez, su traductor.

Según el traductor, en South Beach, Miami, se reunieron con Charles Acelor, y al cabo de dos horas Aybar aceptó: «Sí. La operación debe hacerse con paracaídas».

—Doctor Montesinos, con paracaídas —le dijo Aybar el fin de semana en Lima y Montesinos aceptó:

—Llama al sargento Santos Cenepo, ése que llevaba un altar de condecoraciones en el pecho y dile de qué se trata todo esto.

—Perú está en pleno conflicto con el Ecuador (activado por el Doc para lograr la reelección de Fujimori), pero a la vez afronta un embargo, no puede armarse. Las tropas se hallan en la frontera con la bayoneta calada en la trompa de los fusiles a la espera de cualquier cosa.

Palabras más, palabras menos, es la introducción de Aybar que luego le dice a Santos:

—El Doc ha conversado con el señor Presidente y él quiere que se nos encargue a los dos una misión supersecreta que pone en prueba nuestro patriotismo. Santos: eso lo conoces tú porque tú has sido militar y sigues siendo militar y sabes lo que quieren decir las necesidades de la patria... Lo de las armas está conversado con los altos mandos militares, es una orden del señor Presidente. Todo está arreglado. Nos darán credenciales, uniformes y más insignias para ti. Nuestra misión es recibir el cargamento de fusiles.

La primera semana de febrero Acelor, Sarkis y Aybar volvieron a verse en Lima y una noche el teniente les presentó a Santos Cenepo Chapiama, un sargento retirado, instructor de paracaidismo, «pero no cualquier instructor: él es toda una institución en las Fuerzas Armadas del Perú».

Esa noche el teniente Aybar le confirmó a Santos Cenepo el trabajo secreto en el extranjero.

—Un trabajo por la patria. Dije que sí. Era por la patria. Consistía en lanzar carga *desde el aire*. En el sexto piso del Hotel Sheraton me presentó a un hombre más ancho que alto, grueso como un jamón, azambado, semicalvo. «Soy Sarkis», dijo el jamón y tradujo un español con pelo plateado llamado López Rodríguez. Sarkis me preguntó algo. Le expliqué que para lanzar una carga en vuelo se necesitaban paracaídas G-11. Dijo, «Ja».

Acelor explicó que había transferido desde Caracas a la cuenta de Sarkis en el Banco Lavoro de París, el valor del primer envío. Dineros del Doc, porque el teniente salió luego para Colombia y finalizando enero, el día 28, regresó cargado de plata para la operación. Luego, a comienzos de febrero viajó a Francia en compañía del intérprete español. De allí se desplazaron a Jordania.

Cenepo Shapiama voló a Aruba, Amsterdam y Jordania:

—En Ammán —dice, el Jamón, bueno, Sarkis, nos condujo a una instalación militar dentro del aeropuerto: era 18 de febrero. El chofer se llamaba Tarek. Íbamos el capitán, mejor dicho el teniente José Luis Aybar Cancho pero ahora vestido de coronel, el traductor español Juan Manuel López Rodríguez, y yo, vestido de general; dijeron que debía ser así: de general. «Operación secreta y estratégica». Eso dijeron.

»Vi doscientas cajas pintadas de verde y me di cuenta de que eran fusiles. Luego las acondicionaron. ¿Cómo? Once cajas de madera por cada plataforma de metal. Eran veintidós plataformas, 2.500 fusiles de asalto Kaláshnikov. Los soldados subieron las cajas al Ilyushin 76, un avión parecido al tiburón, un monstruo; pilotos rusos, bombarderos rusos, diecisiete personas y un "pata" con acento venezolano; dijo que sí, que era venezolano, se llamaba Libardo. Los estibadores subieron al Ilyushin 76 las plataformas y las cajas y las sujetaron con cadenas. Cada vuelo debía llevar 25 toneladas. Era el peso recomendado.

»A los cuatro días, el 21 de febrero de ese año, el 99, el cabo Meza, mi ayudante, simulando como mayor del Ejército, tomó algunas fotografías. El avión se elevó a las once de la mañana. "¿Cuál será el camino?" El venezolano dijo: "Argelia, Mauritania, Trinidad y Tobago". Llegamos a Trinidad a la una de la mañana. ¿De qué día? No lo sé. Cuando cargaban combustible, el venezolano discutió con el comandante de la nave. ¿Quién descifra el ruso? El comandante retornó a Ammán».

Ante el contratiempo, el teniente Aybar viajó a Colombia para entrevistarse con «Heriberto Rincón» y «Maguiver» en Barrancomina y ajustaron planes: las armas llegarían en cuatro vuelos, los días 17 de marzo, 5 de junio, 21 de julio y 3 agosto de 1999. Aybar se reunió con la guerrilla siete veces, antes de cada vuelo.

El 13 de marzo el traductor español viajó a Venezuela y regresó a Lima el 16 de marzo, cuatro días antes de que llegara el avión ruso.

A Santos Cenepo le avisaron que reanudarían viaje en un avión del mismo modelo que el anterior «pero sin baño». Habían cambiado al piloto que discutió con el venezolano. La nave estaba comandada ahora por un hombre que dijo llamarse Zilenin y la tripulación integrada por rusos y ucranianos era la misma.

—Nos acompañaba Luis Alberto Meza Rodríguez, mi ayudante, que ahora no era cabo retirado sino mayor del Ejército. Yo seguía siendo general.

»Realmente el primer vuelo se efectuó el 17 de marzo. José Luis Aybar nos dio las coordenadas para el lanzamiento. "Es en la selva peruana", dijo, pues en sus viajes a Colombia las había establecido con un comando de tierra. Hoy, después de tanto lío, sé que eran para la guerrilla.

»Hicimos escalas en Argelia, Mauritania y Trinidad y Tobago donde nos quedamos dos días esperando nuevas instrucciones del teniente Aybar, antes de emprender el último trayecto hasta Iquitos en la selva amazónica.

»Salimos de Trinidad a eso de las dos y media de la madrugada y al cabo de tomar altura, la tripulación comenzó a instalar los paracaídas en las cargas; cuarenta y cuatro paracaídas modelo D-5 de fabricación soviética que se usan para lanzamiento de tropa. Cada ruso trabajaba en un carril.

»Meza, mi ayudante, y yo, verificamos que los ganchos de los paracaídas se encontraran agarrados correctamente en el cable estático de la nave. Unos cuarenta minutos después nos ordenaron regresar a la cabina para iniciar el descenso de treinta y dos mil a dos mil pies. En la caída, el avión sonaba como un trueno; debieron escucharlo en toda la selva. Liberaron de presión el compartimiento de carga y a los rusos les dieron máscaras de oxígeno a pesar de que todos habíamos abandonado ese sitio. Una vez a la altura indicada, la nave levantó la nariz y descolgó la cola unos 45 grados, las luces ámbar cambiaron a destellos tácticos y abrieron la compuerta que también es rampa. El avión entró con rumbo 140 y la carga empezó a deslizarse al vacío exactamente en el punto indicado por el teniente Aybar: 3 grados Norte, 40 minutos y 8,21 segundos; y 69 grados Oeste, 54 minutos y 1,15 segundos. El lanzamiento duró 22 segundos. Cuando terminó la tempestad de fusiles, las coordenadas eran parecidas. El rumbo de salida fue 180.

»Aterrizamos en Iquitos a las cinco y media de la mañana: que si traíamos coca, que quiénes éramos. Allí estaban los de la DEA, y estaba Víktor, un maromero que sacaron del Circo Ruso —traído al Perú por la Nippon— y ahora trabajaba como intérprete de la tripulación, y estaba también Juan Manuel López, el traductor español. Bueno, que si cocaína... Se calmaron después de varias conferencias telefónicas con el doctor Montesinos.

»Esa noche el teniente Aybar nos mostró al maromero del circo ruso y a mí los periódicos del día: hablaban de una visita del Doc a la frontera con Colombia, acompañado por los altos mandos militares. "¿Qué sucede?", pregunté, y alguien dijo: "Que van a invadir a Colombia... Los lanzamientos de armas deben coincidir con esa visita". ¿Por qué? «Porque es otra guerra del Doc», dijo el teniente Aybar».

INVISIBLE

Claro que era la guerra. O la intensificación progresiva de una guerra ajena a Colombia, puesto que el enorme avión de construcción soviética, la obsesión de los estadounidenses, al ingresar al país cruzó por un corredor controlado por cuatro potentes radares estadounidenses. ¿Radares estadounidenses dentro de Colombia? Sí. Esos radares ubicados en puntos llamados Marandúa, no lejos de la frontera con Venezuela, y más hacia el sur, en San José del Guaviare, Tres Esquinas y Leticia —éste último sobre el río Amazonas—, fueron pagados por Colombia según lo determinó el gobierno de los Estados Unidos. Pero son operados por militares estadounidenses que no le dan información a Colombia sino a sus centros en los Estados Unidos.

Sin embargo, el Ilyushin 76, una nave de media cuadra de larga y otra media cuadra entre los extremos de su alas, cruzó cuatro veces por el área de control de los radares y, al parecer, los militares estadounidenses no lo vieron. Pero, además, en su sobrevuelo sobre Colombia, descendió de treinta mil a dos mil pies: una violación al espacio aéreo. ¿Los estadounidenses no la registraron? Y cuando más tarde el Ilyushin bombardeó algo, ¿tampoco lo detectaron?

El corredor es el mismo dentro del cual desde hacía siete años venían derribando aviones particulares sospechosos. En abril de Dos Mil Uno, las pantallas presentaron la señal de una pequeña avioneta que según los militares estadounidenses «se negó a identificarse», y la derribaron a balazos.

En tierra se comprobó que los ocupantes eran un pastor protestante, una señora y su hija; él resultó herido y la mujer y la niña, muertas. Pero el estupor y luego el escándalo de prensa en los Estados Unidos obedeció a que las víctimas también eran estadounidenses, por lo cual el vocero del Departamento de Estado aclaró: «los *americanos* no derribamos narcoaviones. Quien disparó fue una nave de combate de la Fuerza Aérea peruana».

—Claro que ellos no derriban —respondieron en Lima—. Ellos dan la orden y nuestros aviones actúan bajo sus indicaciones. Los estadounidenses presionan para que la FAP sea la que dispare: ellos son los defensores de los derechos humanos —dijo en el Congreso peruano el parlamentario Robinson Rivadeneira.

Efectivamente, el vocero del Departamento de Estado aceptó más tarde que el caza del Perú había actuado «en apoyo de un avión particular fletado por la CIA», y ante la divulgación de la tragedia en Estados Unidos, anunció que «por ahora» se suspendía el derribamiento de aviones.

La semana siguiente, el corresponsal del diario *El Espectador* en Washington escribió:

«Los vuelos de vigilancia, en los que viajan agentes de la CIA, salen de bases en Aruba o Curazao y la base de Manta en Ecuador. Todos sus movimientos son seguidos por radares y computadoras de Estados Unidos ubicados en Colombia, Ecuador, Perú y Brasil».

El patrullaje permanente de la Amazonia comenzó hace siete años. Cuando los radares «americanos» y las computadoras detectan una aeronave, avisan al avión de la CIA que verifica la información y luego la transmite a sus bases en los Estados Unidos. Si lo considera conveniente, le da aviso a las autoridades colombianas.

Antes, el ex teniente Aybar les había dicho a los jueces de su país:

—Para lanzar la carga, el avión tuvo que haber bajado como una bala, y tuvo que haberse destacado en las pantallas de los radares porque en esa operación el Ilyushin disminuye con violencia la velocidad inicial; los radares estadounidenses en Colombia y Perú tienen que haberlo detectado, así como los aviones estadounidenses y aviones de la Fuerza Aérea del Perú o de Colombia que patrullan esos cielos. Como no lo vieron, digo entre comillas, es elemental pensar que había complicidad en todos ellos... Pero, además, las veces que la nave llegó a Lima no la detuvieron ni la revisaron. Tenía que haber una orden de muy arriba protegiéndola.

El Ilyushin 76 regresó a Amman el 23 de marzo cargado con veinte toneladas de láminas de tríplex. El 24, Aybar viajó a Venezuela.

En Ammán, Santos Cenepo, que regresaba siempre en el Ilyushin, firmó otros dos contratos por 7.500 fusiles más, esta vez a 750 dólares cada uno, los cuales fueron lanzados por tres vuelos en el mismo punto y en las primeras horas de la madrugada.

La tripulación siguió siendo la misma: Vladimir Gavrilov (comandante) y 12 tripulantes: Pugatchev, Zubrilov, Tchtchenko, Nesterovich, Legnin, Ermakov, Yachenko, Ostrin,

Kuptsov, Gorbunov, Chekalin y el general Cenepo. La ruta cambió a Argelia, Cabo Verde, Granada y Lima, donde Montesinos tenía control absoluto.

Una parte de aquella ruta era familiar para el gobierno peruano. Dos años antes, en 1997, el avión DC8 al servicio del presidente Fujimori había caído en el Perú, cargado con 140 kilos de cocaína pura antes de emprender vuelo a Rusia. «Se disponía a traer repuestos para aviones Sukhoi 25», anotaba un comunicado oficial.

Desde luego, se inició una investigación penal pero la magistrada no logró llegar lejos. Uno de los tripulantes del DC8, de apellido Okamura, según unos diarios, Nakamatsu, otros, o Yamashiro, otros, era el piloto de confianza del presidente Fujimori. Pero, además, uno de los suboficiales presos —los oficiales quedaron en libertad— confesó:

—En ese avión había media tonelada de cocaína que llevaban los oficiales, pero también estaban los 140 kilos que eran de los suboficiales. Entonces cuando la DEA dice: «Agarren el avión», los oficiales esconden su cocaína y dejan a la vista la de los suboficiales. ¿Y qué sucede? Que más tarde el DC8 sale para Rusia.

Una semana después, a la presidenta de la Corte Antidrogas que solicitó investigar el caso no se le permitió continuar y fue separada de la institución.

EL FACTOR SORPRESA

Toda historia guarda dentro su «factor sorpresa». El de ésta se hallaba en la Corte Suprema de Justicia, y casi al final del viaje al Perú apareció sin buscarlo. Surgió espontáneamente como surgen hoy las huellas de Fujimori y Montesinos en este país. Estaba allí, tomando café en su despacho, un juez le explicó qué buscaba yo, y él sonrió:

—Siéntese —me dijo y luego preguntó—: ¿sabe usted donde puede hallar la almendra de este cuento?

—No —le respondí, y él señaló varios legajos de papeles:

—Aquí—dijo sonriendo, y luego de una pausa y de otro
café y de otro cigarro, comenzó a contar:

—Ammán era solo una estación de paso para los Kaláshnikov, porque ese país no tiene, no puede tener armamento
soviético. ¿De dónde han sacado eso? Es que el mundo sabe
que Jordania es socio, servidor, dependiente, escudero, infor-
mante de los de los Estados Unidos en la región —comenzó
diciendo, y luego hilvanó el desenlace, recogido por fiscales,
jueces y magistrados en los papeles que descansaban sobre
su mesa de reuniones.

»Ese armamento lo negoció Sarkis en Bielorrusia, donde
Montesinos y los generales de su camarilla habían comprado
los destartalados aviones MIG 29 con que fue engañado el
Perú. Una vez adquirido, Sarkis logró que le permitieran de-
positarlo por un tiempo en Jordania, donde se mueve a sus
anchas. Allí era un protegido del Rey.

»Por otra parte, Bielorrusia, una republiqueta que se muere
de hambre y por lo tanto busca divisas a como dé lugar, se
prestó al negocio. Los fusiles viejos significaban una buena
oportunidad en su pobreza y despachó aquellos fusiles, de-
fectuosos como los MIG 29. Pero los fusiles sólo llegaron hasta el aeropuerto de Ammán.

»El coronel Aybar, el general Cenepo y el mayor Meza,
figuras de tamo en esta pieza teatral, se lo han dicho a los
jueces claramente: las cajas con los fusiles nunca pasaron de
allí. En esta clase de negocios las armas van a un segundo
país antes de llegar a su destino. Desde siempre, los traficantes lo han llamado *triangulación* y en esta movida, la triangulación fue Bielorrusia, Jordania, Perú y en el camino cayeron
a un vacío llamado Colombia.

»Como no hay negocio clandestino perfecto, siempre quedan agujeros abiertos. Yo creo que a éste le sobran. Por ejemplo: ¿cómo se explica que dos tenientes generales del Ejército de Jordania, uno de ellos el procurador militar, un abogado, se avengan a aceptar los certificados y las credenciales falsas de dos individuos peruanos que se presentan, uno como general y el otro como coronel, pero una vez abren la boca, cualquiera capta que son cuasi analfabetos? Uno quisiera que alguien lo explicara.

»Desde luego, en este negocio hay agujeros, pero cualquiera que se asome con detenimiento a las versiones de los peces que le servían a Montesinos, encuentra explicaciones. Sarkis ha dicho públicamente y en varias oportunidades que el negocio era por sesenta mil fusiles, porque la operación consistía en un abastecimiento constante para una guerra larga. A sus amigos de Bielorrisia simplemente les habló de sesenta mil. ¡Qué negocio! Pero una vez los *bielos* abrieron la boca, les dijo: "Haremos una entrega inicial de diez mil a Jordania". En Jordania ya había acordado que las armas jamás saldrían del almacén del aeropuerto de Ammán, es decir: llega un avión con cajas desde Bielorrusia, son guardadas en contenedores y esperan allí la llegada de un avión ruso con matrícula de Hungría que se los llevará.

»Entonces buscan a Santos Cenepo Chapiama que ha hecho cursos en el exterior; él es una institución con condecoraciones a pecho abierto. Pero falta alguien con alguna mayor formación cultural para que puedan presentarse oficialmente como representantes del Ejército peruano haciendo la pantomima de compradores de armas para las Fuerzas Armadas peruanas. Aparecen los Aybar, que ya habían sido comodines en licitaciones de obras públicas, y luego en tráfico de cocaína con el Doc. Uno de los Aybar es, en términos peruanos, "un trucha". Un Aladino que emerge allí donde hay algo que

comprar y que vender. Antes él había hecho negocios directamente con Fujimori en el Palacio de Pizarro. Eso es público.
El Presidente lo aceptó. Su hermano es un ex teniente, narcotraficante, miembro de la *Odessa* de Montesinos, que a la vez
manejaba una empresa de fachada del Servicio de Inteligencia Nacional.

»Para tejer mejor el juego, Montesinos le ordenó a alguno
de sus generales de tamo que expidiera credenciales a nombre del ex teniente y del ex sargento y del ex cabo, de manera
que pudiesen tratar con sus pares en Jordania, y ellos se van
para Ammán. Allí conversan con dos tenientes generales jordanos, llegan a un acuerdo y aquellos llaman a un tercero, el
del cuerpo jurídico, para que elabore los contratos. Mucho
antes, buscando que los generales jordanos saboreen el caramelo, Sarkis les ha hablado de un negocio más largo: cincuenta
mil nuevos fusiles viejos.

»Hecho el negocio viene la contratación de un avión. Sarkis mete las narices y lo hace mal. Para eso está el ex teniente
con nexos en Rusia donde han estudiado y viven y se mueven a gusto algunos de sus hermanos».

Aparece el Ilyushin 76.

VENEZUELA EN EL JUEGO

En esta operación, Venezuela fue base estratégica para
Montesinos. Según los registros de emigración adjuntos al
proceso penal, Charles Acelor, el teniente Aybar y sus ayudantes ingresaron diecisiete veces a Caracas, y Aybar estuvo
allí entre uno y tres días antes de cada lanzamiento. Acelor
hizo un traslado de dinero a favor de Sarkis siguiendo la ruta
Caracas, Tel Aviv, París.

Según Francisco Loaiza, su instructor cuando era teniente
del Ejército, «Montesinos siempre tuvo claro que para él Ve-

nezuela era territorio fácil. "Allí los peruanos podemos movernos como reyes", decía desde antes de llegar al poder».

Cuando el presidente Hugo Chávez era oficial de grado menor, hizo un curso en la Escuela Militar de Chorrillos, Lima. Su instructor y luego amigo personal fue el general Julio Salazar Monroe, uno de los «hombres de tamo» que manejaba Montesinos: el Doc lo colocó primero como jefe del Servicio de Inteligencia Nacional y cuando Chávez llegó al poder, lo hizo nombrar embajador en Caracas. A pesar de conocer la situación de su amigo, Chávez le dio aceptación pero el Comité Interamericano de Derechos Humanos cuestionó ese *agreement*. El instructor de Chávez estaba acusado de una matanza de estudiantes de la universidad de La Cantuta y de otra de gentes inermes en los Barrios Altos. Hoy se halla preso en el Perú.

Otra historia es la del mayor Eloy Villacrés, quien pasó del Ejército peruano a la revolución de Nicaragua al lado de los sandinistas. De acuerdo con archivos de inteligencia del Ejército peruano, más tarde, en 1992 durante el intento de golpe de Estado contra Carlos Andrés Pérez, emergió como asesor de Chávez.

Fracasada la revuelta, militares compañeros de Chávez huyeron al Perú y fueron acogidos como perseguidos políticos gracias a la intervención directa de Montesinos.

Por lo menos durante los comienzos de su gobierno, Villacrés trabajó muy cerca de Chávez en Venezuela, según lo registró en su momento el Servicio de Inteligencia Nacional en Lima.

NO VA MÁS

Luego del cuarto lanzamiento, la operación finalizó abruptamente. Según el congresista Robinson Rivadeneira, cabeza de la comisión investigadora del parlamento peruano, hoy las cosas son claras:

—La operación aborto —dice— porque, de acuerdo con la información que maneja el Congreso del Perú, funcionarios del FBI estaban al tanto de que los vuelos habían sido detectados por los radares estadounidenses en la Amazonia. Esos radares son operados por gringos y reportan su información directamente a los Estados Unidos.

»La CIA, que controla milímetro a milímetro lo que se mueve en estos países, permitió los lanzamientos y la FBI presionó a la CIA. Y la CIA hizo abortar la operación casi un año después, filtrándosela a la prensa».

Pero ¿qué le falló a Montesinos? Por un lado, el Plan Colombia no comenzó tan pronto como él lo había calculado. Luego la CIA lo dejó como a aquellos pintores a los que alguien les quita la escalera mientras están trabajando y quedan «colgados» de la brocha.

Pero, una vez en el aire, Montesinos supo que algunos periodistas conectados a Internet habían recibido la señal desde los Estados Unidos. Ante la filtración quiso adelantarse a los medios y el 21 de agosto de Dos Mil, un año después de los lanzamientos, citó a una conferencia de prensa en la cual sorprendentemente él dirigió el concierto, a pesar de estar a su lado el comandante general del Ejército, el de la Marina, el de la Fuerza Aérea, el jefe del Servicio de Inteligencia Nacional. Allí también estaba el Presidente de la República mirándolo, asintiendo con la cabeza luego de cada una de sus frases.

Ese solo hecho era insólito: por primera vez en diez años de gobierno, Montesinos aparecía en una conferencia de prensa, y eso daba una idea de la importancia del tema.

Aquella mañana Montesinos hizo una explicación increíble, mostrando fotos, dioramas, mapas y diciendo que el Servicio de Inteligencia Nacional había detectado una operación de contrabando de armas en la cual estaban implicados todos aquellos que habían trabajado para él, a quienes llamó «una mafia de traficantes». Hablaba de embarques de armamento, de un avión fantasma, de agentes rusos, pero en realidad, tratando de salvarse, lo que contaba era su propia operación. No obstante, en ese momento era un enfermo terminal frente a sus amigos de Washington.

Sin embargo, algo clásico en él a lo largo de toda su vida, repitió lo que habían hecho con él los de la CIA: entregó a toda su gente. Los peces chicos habían sido arrestados dos días antes.

A pesar de todo, el espectáculo no convenció: si él sabía por dónde entraba el arsenal, ¿por qué no atrapó la nave desde el primer aterrizaje? Si tenía fotos del avión en Iquitos después de haber lanzado el primer lote de armas sobre la selva colombiana, ¿por qué no arrestó a los pilotos? Allí a quien arrestaron fue a un maromero que llegó al Perú con el circo ruso.

Luego de la conferencia, por lo menos tres medios publicaron versiones diferentes y contradictorias, lo cual indicaba que las filtraciones habían llegado por vías diferentes y todas implicaban a Montesinos.

—En ese momento —concluye el congresista Robinson Rivadeneira—, la CIA ya había conseguido el objetivo de elevar la capacidad de fuego de la guerrilla y ahora justificaba públicamente su guerra en Colombia.

Lo demás fue el eco de la prensa estadounidense. En octubre, tres meses después de la conferencia de prensa, *The New York Times* dijo haber confirmado que: «la CIA conocía de la operación desde el principio y que tardó en dar cuenta del hecho al Departamento de Estado que ahora ha levantado la voz ante la actitud de la agencia de inteligencia que trabajaba directamente con Montesinos».

En noviembre, el mismo diario aseguró que «a finales de 1998 funcionarios jordanos acudieron al jefe de la sede de la Agencia Central de Inteligencia CIA, en Ammán capital de Jordania con una pregunta rutinaria. ¿Le importaría a los Estados Unidos si ellos, los jordanos, le vendiesen cincuenta mil fusiles de asalto sobrante al Ejército peruano?».

El funcionario de la CIA hizo alguna comprobaciones y volvió rápidamente: «Nuestra respuesta fue: no, nosotros podemos vivir con eso», recordó un oficial de la inteligencia estadounidense.

«Oficiales del Departamento de Estado se quejan de que la CIA fue lenta a la hora de informarles de todo lo que estaba ocurriendo, y aseguran que las investigaciones han sacado a la luz nuevas cuestiones acerca de los lazos de la CIA con Montesinos. "Deberíamos haber recibido información mucho más pronto de lo que la recibimos", dijeron los oficiales.

»La CIA en Ammán informó a los altos diplomáticos y a los agregados en la embajada estadounidense, pero ni una palabra llegó al Departamento de Estado.

»Altos funcionarios del Departamento de Estado, incluyendo al subsecretario, Thomas Pickerin, se han mostrado francamente insatisfechos por el flujo de información de la CIA, tanto sobre su primer papel en el caso de la posible relación con oficiales peruanos».

En tanto, el ex teniente Aybar Cancho declaraba ante la magistrada Selinda Segura en el marco de la investigación penal:

«El doctor Montesinos trabajaba con la CIA en la venta de armas a la guerrilla y a sus enemigos los paramilitares. A ambos. Buscaban incrementar los enfrentamientos con el Ejército, incendiar el país y justificar una invasión a Colombia, promovida y apoyada por los Estados Unidos. La CIA quería justificar el plan de guerra. Eso está siendo demostrado».

Hasta allí esta era una historia sin final. Un mes después en Panamá, un funcionario del Ministerio de Gobierno, me dijo:

—Voy a presentarte a alguien muy cercano a la CIA que acaba de llegar y está al tanto de las cosas en Sudamérica. Puedes hablar con él sin reticencia, siempre y cuando aceptes no mencionar su nombre completo.

Cuando me lo presentaron, *Alguien* me hubiese podido decir cualquier nombre, porque durante el tiempo de nuestra conversación, lo que me dio vueltas por la mente fue George. Así lo asocié y en el momento de despedirme de él, en forma inconsciente le dije, *George*. No sé qué pudo haber entendido. Pienso que lo recibió con orgullo.

—Mire —comenzó diciendo— uno de cada cinco, de cada diez de esos fusiles, no le voy a dar un número preciso, lleva consigo una especie de chip transmisor, instalado previamente a la operación. Es más o menos el mismo que se utiliza masivamente para localizar autos robados. Una tecnología comercial difundida en el mundo. Esa especie de chip emite una señal y esa señal está siendo identificada y recibida por un satélite que, digamos, la envía a estaciones del gobierno estadounidense llamadas Centros Avanzados de Operaciones, o *Forward Operating Locations*, *FOL's*, como por ejemplo el de Manta en Ecuador. ¿Usted sabe de qué estoy hablando? Estoy hablando de una instalación avanzada que le permite a los Estados Unidos tener una cobertura completa de los territorios de Ecuador, Colombia, Perú y Bolivia. O como, por ejemplo, la de Aruba o la de Curazao, desde las cuales realizamos operaciones de detección y monitoreo sobre la parte norte del territorio colombiano, incluida la península de La Guajira, y la parte norte del territorio venezolano, en un proceso que busca involucrar a esos países, más Brasil, en la internacionalización del conflicto.

»Y además, estoy diciendo que en esta forma, por ahora el conflicto colombiano se ha extendido a parte de la Región Andina y se ha abierto el camino a intervenciones militares en algunos de los territorios vecinos: por ejemplo, Panamá, un país que no tiene Ejército ni recursos para armar a una fuerza especial que controle su frontera con Colombia, hoy abierta como una tronera y desprotegida frente a las bandas de terroristas colombianos y a sus enemigos... ¿Cómo los llaman allí? ¿Paramilitares? ¿Paras? Ellos también son terroristas.

»La idea inicial fue hacerle llegar los fusiles al grupo terrorista FARC para poder tener un control real sobre su ubicación, y poder determinar cuántos combatientes se concentran por puntos geográficos. Cálculos que se hacen por, digamos, masas equivalentes, más o menos a escuadra, pelotón, compañía, calculando que una escuadra son diez hombres, un pelotón más o menos cuarenta hombres, una compañía entre ciento veinte y ciento ochenta, un batallón... Ésa es una relación que, en términos generales, tratamos de identificar con las bandas de terroristas colombianos que, también en términos generales, tienen estructuras que podrían asimilarse a las de un Ejército regular.

»Lo que estoy tratando de decir es que, en alguna forma, en Washington hay un control real sobre ese grupo terrorista. ¿Cuándo se le va a suministrar alguna información al gobierno de Colombia? Bueno, eso será de acuerdo con los intereses de *América*. De repente, para Washington puede ser aconsejable que la guerra se acabe mañana. O es preciso, como ahora, que se prolongue en el tiempo, según las necesidades de nuestra industria, o de acuerdo con las prioridades del desarrollo *americano*. Por ahora sé que estamos en el comienzo de una guerra que puede ser larga, y que cada año tiene que ser menos artesanal; más tecnológica. Washington es quien determinará qué tan intensa y qué tan larga debe ser la "Ofensiva al Sur".

»Viendo las cosas así, piense en esto —continuó diciendo—, lo de los fusiles para los terroristas de la guerrilla colombiana no fue un acto de ligereza de Jordania, ni un acto de corrupción de Montesinos. Absolutamente, no. Fue algo que determinó Washington a través de la CIA. Fue una operación, llámela de producción de inteligencia a tiempo y exacta, mediante un sistema de vigilancia y reconocimiento en las áreas de operaciones de las FARC.

»Otro aspecto de este asunto es que Jordania no posee fusiles soviéticos. Jordania es amiga de Washington y desde luego muy amiga de la CIA. Los fusiles venían de Bielorrusia y en su paso hacia Colombia, alguien en ese gobierno permitió que fueran almacenados temporalmente en el aeropuerto de Ammán. ¿Por qué de Bielorrusia? Porque Montesinos ya tenía relaciones con ellos. Montesinos a nombre del Estado peruano ya les había comprado basura: llame usted basura a 25 aviones MIG 29 obsoletos y a otro armamento viejo, adquirido con el ruido de la guerra frente a Ecuador.

»¿Quiere una conclusión? Los fusiles están en manos de la guerrilla, es decir, de una organización terrorista, y la información ante los ojos de Washington, pero Washington se la va a dosificar a Colombia. ¿Cómo? ¿Por qué? Washington le irá informando al gobierno colombiano cuando lo estime oportuno para los intereses estadounidenses (es decir, hasta cuando Washington crea que es necesaria la imagen virtual de la amenaza terrorista), no cuando al gobierno o a la Fuerza Armada colombiana les convenga. De acuerdo con eso, el conflicto puede durar un año, puede durar... Usted ya lo sabe:

estamos en una guerra que puede ser larga porque se trata de
una lucha del Mundo Libre contra el Imperio del Mal».

Versiones filtradas según las conveniencias de la guerra.

Los ojos del vecino

Cuando el congresista peruano que encabezaba la comisión investigadora de la tempestad de fusiles dijo que los Kaláshnikov lanzados desde el avión ruso estaban acompañados por 150 millones de proyectiles, la embajadora de Colombia en Lima retiró los ojos de la pintura de sus uñas y él le devolvió la mirada telegrafiándole:

—¿No es posible? Claro que sí. En un conflicto como éste todo es posible. Se trataba de diez mil fusiles, y Montesinos y los demás negociaron un promedio de 1.500 balas por cada uno. ¿Cuánto suma eso?

Una visión global sobre la historia de los Kaláshnikov para la guerrilla FARC llegó al Congreso del Perú gracias a la investigación encabezada por el diputado Robinson Rivadeneira, en aquel país, en Jordania y en Colombia. Se trata de un análisis, como dicen ahora, contextualizado del asunto, que permite conocer el punto de vista de importantes sectores políticos en países vecinos, en torno al Plan Colombia, como lo bautizaron en Washington sus diseñadores.

El análisis del congresista Rivadeneira surge tomando
como referencia la documentación en poder del Congreso peruano. Él dice:

—En 1998 Washington trabajaba en la elaboración del Plan
Colombia, mientras el Perú pensaba en una generalización
de una guerra con el Ecuador y realizaba gestiones para re-
novar su armamento. Dentro de ese proceso compró a Bielorrusia 43 aviones MIG 29 y Sukhoi 25, la mayoría inservibles.

»Como ahora, en ese momento varios sectores del continente mostraban su preocupación frente al Plan Colombia.
¿Qué hizo Estados Unidos? Buscar un manejo político antes
de ponerlo en marcha.

»Para entonces, en el interior del gobierno estadounidense conocían a Vladimiro Montesinos como *El doctor arreglato-
do* porque lo habían utilizado para una serie de acciones
ilegales durante muchos años: Montesinos estaba vinculado
con la CIA desde hacía más de dos décadas. Sólo durante los
diez años de Fujimori, la CIA manejó y financió parte de la
lucha contra el narcotráfico a través del Servicio de Inteligencia Nacional, es decir, de la mano de Montesinos.

»Como unos y otro marchaban en la misma dirección, en
septiembre optaron por una acción acelerada para justificar
el Plan Colombia: la CIA acordó con Montesinos abrir una línea de abastecimientos para fortalecer la capacidad de fuego
de la guerrilla colombiana, y Montesinos le planteó el negocio a las FARC vía narcotráfico, ofreciéndoles inicialmente armamento, municiones, misiles tierra-aire y misiles antitanque.

»En la comisión investigadora del Congreso peruano hemos establecido que los contactos se realizaron con la ayuda
del cartel de "Quino" en el que se movían el ex teniente peruano José Luis Aybar Cancho y su hermano. Los contactos
con las FARC comenzaron en Puerto Asís, Colombia; luego,
narcos y guerrilleros se trasladaron hacia la frontera colom-

bo-ecuatoriana y más tarde en la capital del Perú llegaron a un acuerdo, en el que quedó claro que las armas vendrían por el lado peruano».

ESPECTÁCULO

—Las FARC sabían que el negocio era con Montesinos. Sin embargo, él, que es desconfiado y prevenido y además felino, les envió una señal para presionarlas a comprar más rápido. Esa señal, desde luego, fue un gran espectáculo militar con el argumento de que el Perú cerraba su frontera con Colombia, en una zona en la cual jamás nuestras fuerzas armadas habían realizado acciones de control.

»Pero por otro lado, Montesinos había iniciado contacto con alguien en el gobierno jordano a través de Sarkis Soghanalian, un vendedor de armas anticomunista conocido en el mundo como "El mercader de la muerte", que trabaja bajo el control de la CIA. Él mismo le ha dicho a la prensa peruana que no desarrolla ninguna operación si la CIA no le ha dado el visto bueno previamente. Jordania es el mundo de Sarkis. Pero, a su vez, Jordania tiene una gran dependencia económica del gobierno estadounidense y por su ubicación geográfica y su situación geopolítica está obligada a mantener el cordón umbilical que la ata a la Central de Inteligencia de los Estados Unidos. Quiere decir, entre otras cosas, que ninguna operación de compra-venta de armas de Jordania se hace sin la aprobación previa del gobierno estadounidense. Eso nos lo confirmó en Ammán la cancillería jordana.

»La investigación realizada por el Congreso del Perú ha establecido también que la operación del armamento para las FARC fue aprobada previamente por la CIA. La Cancillería en Ammán nos confirmó que dos funcionarios de la CIA volaron a Jordania y allí dieron el visto bueno. La CIA aprobó todas las

credenciales, todos los documentos presentados supuestamente de manera oficial por el gobierno peruano. A todo le
dijeron sí, a pesar de tratarse de documentos burdamente falsificados. Por ejemplo, una carta de presentación firmada por
fantasmas.

»Y detalles imperdonables como éste: cuando se suscribe
un documento de Estado y más aún si es compra-venta de
armas, resulta elemental verificar primero su veracidad, comprobar si quien firma es un ser real. En este caso no fue así.
Los jordanos no comprobaron nada. Todos los documentos
de la operación fueron firmados por militares peruanos que
nunca existieron.

»La Inteligencia y el Ejército jordanos ni siquiera se tomaron el trabajo de exigir sellos. Y otra perla: por ejemplo, el
escudo peruano que figura en los certificados de compromiso (de que las armas no pasarían a manos de terceros), no es
el escudo de nuestro Estado. Los servicios de inteligencia jordanos dicen que no advirtieron ese detalle, pero es que cualquier estudiante de primaria de cualquier país puede tomar
una enciclopedia y ubicar los rasgos de un escudo nacional.

»Nuestra investigación en Ammán determinó que los jordanos aceptaron como válida una documentación falsa, porque tenían orden directa de la CIA de posibilitar la operación
para las FARC. Así de concreto.

»Es más: cuando nosotros nos reunimos allá con representantes de la Cancillería jordana y generales voceros del
Ejército jordano, ellos nos dijeron simplemente: "La CIA autorizó esta operación". Y eso de que la CIA conocía este asunto y que, además lo autorizó, fue corroborado dos veces, en
dos oportunidades diferentes por Sarkis Soghanalian al diario *La República* de Lima, en las cuales señala: "La CIA conocía esta información y la CIA aprobó la operación varios meses
antes". Fíjese usted que nosotros en el Congreso tenemos tres

fuentes muy confiables y muy creíbles, según las cuales, la CIA sabía de la operación y la aprobó.

»Parte de la coreografía de este sainete son documentos falsificados y la presencia de un ex teniente peruano que se presenta como coronel activo, y de un sargento disfrazado de general en el aeropuerto de Jordania. Ésa es una pantomima aceptada por ambas partes, simplemente para avaluar la figura del contrato oficial y secreto, porque en ese momento no habíamos firmado la paz con el Ecuador.

»En nuestra investigación hemos separado al Estado jordano del Ejército jordano. El Ejército jordano y la Inteligencia jordana, que aprueba la compra-venta de las armas y las municiones y todo lo que venía allí, sabían que ésta era una operación camuflada y aprobada por la CIA. La inteligencia jordana coordinó directamente e impuso condiciones a su Ejército, quien otorgó las facilidades y almacenó el armamento en el aeropuerto de Ammán.

»Una vez la operación en marcha, un avión con las armas cruzó muchas veces y realizó escalas en Argelia, Cabo Verde, Granada y Trinidad Tobago, y en ningún momento encontró problemas. Hoy sabemos que esos aeropuertos fueron contactados por la CIA, única instancia con el peso político y el aparato logístico necesarios para darle protección internacional al avión pirata.

»Pero hay más: los Estados Unidos tienen cuatro radares potentes en algunas de sus bases de la Amazonia colombiana y en las dos del Perú y el avión con las armas cruzó por ese corredor cuatro veces. ¿No lo vieron? Además, todos los vuelos fueron detectados por satélites estadounidenses en el momento de lanzar la carga desde dos mil metros, una altura para la cual el avión no había sido autorizado. ¿Los servicios de seguridad más poderosos del mundo no vieron un Ilyushin 76 —que es un monstruo— descender mediante una operación sospechosa, abrir el vientre y bombardear algo? En cambio, en la misma Amazonia, a la pequeña avioneta con un pastor protestante, su mujer y su hija sí la vieron, y la llenaron de balas, y mataron a la mujer y a la niña... y al Ilyushin con 100 toneladas de armas en cuatro viajes no lo vieron.

»El primer vuelo del Ilyushin llegó a Iquitos a las seis de la mañana y fue intervenido por la DEA y la Policía antidrogas del Perú. Estaba vacío, pero en ningún momento le pidieron un manifiesto de carga, o le preguntaron al comandante qué sucedió con la carga que salió de Jordania. El piloto declaró que había partido rumbo a Iquitos, supuestamente a cargar láminas de tríplex. ¿El Ilyushin recorrió medio mundo vacío para comprar cuatro tablas? Tampoco indagaron nada en los tres vuelos posteriores que llegaron a Lima».

VOLUMEN

—Estamos hablando de una línea de abastecimiento por una cantidad de armamento mucho mayor que diez mil armas. Yo verifiqué que el paquete constaba de misiles antitanque, misiles tierra aire y granadas, munición y fusiles Kaláshnikov. Eso lo constaté en el Putumayo. Por eso es que Sarkis Soghanalian habla hoy públicamente de una operación de compra-venta pactada por cincuenta mil fusiles y exige que le paguen por esa cantidad. Pero nadie compra fusiles, solamente fusiles, porque fusil solo no sirve para nada. Los Kaláshnikov tienen un calibre diferente al que existe en Sudamérica y es necesario adquirirlos con balas. El promedio son 1.500 cartuchos por fusil.

»Toda esa operación abortó porque, según la información que manejamos, funcionarios de la FBI presionaron, pues los vuelos habían sido registrados en Estados Unidos a través de radares amazónicos. Radares comprados por estos países pero los manejan estadounidenses que entregan la información directa a sus bases. Resumiendo: los cuatro lanzamientos de armas fueron detectados, el FBI presionó a la CIA y la CIA hizo abortar la operación que, repito, comprendía mucho más que diez mil fusiles. Se trataba de un proceso de abastecimiento constante para una guerra larga. Tanto que unos días después, Sarkis Soghanlian le dijo en dos oportunidades al diario *La República*: "A esos fusiles había que añadirles 600 misiles SAM 7 de fabricación rusa. Cada uno puede costar hasta cuarenta mil dólares. Estamos hablando de una operación de 24 millones de dólares. Pero después hablamos, ya no de 600 sino de 1.200 misiles SAM 7. Solamente esta operación podría alcanzar hasta los 48 millones de dólares".

»Sin embargo, cuando abortó la operación, la CIA ya había conseguido el objetivo de elevar la capacidad de fuego de las FARC y justificar el Plan Colombia. Y lo justificaron. ¿Cómo? Los servicios de inteligencia del Perú y los de Colombia saben que a partir de 1999 las FARC elevaron su capacidad de fuego coincidiendo con el auge del lanzamiento del Plan Colombia. Y algo fundamental: curiosamente en ese momento los medios de prensa empezaron a darle una publicidad impresionante a las acciones militares de la guerrilla, y lograron consolidar la imagen de que Colombia está a punto de caer en manos de la guerrilla. Es decir, el gobierno y la prensa crearon la necesidad del Plan, que gracias a la publicidad se firmó sin resistencia.

»Esa realidad virtual nos mostró, por ejemplo, la llegada de Clinton a Cartagena de Indias entre aviones y helicópteros y algún destructor fondeado en la bahía, y una nube de guardias y guardaespaldas estadounidenses, porque él se estaba jugando la vida ante una temible y poderosa guerrilla. Pero Clinton terminó bailando cumbia en unas calles de las cuales habían escondido a los negros y a los mendigos.

Traigo esto a cuento porque eso fue lo que nos dijeron la televisión y la prensa internacional.

»Aquella fue una verdadera campaña psicosocial que preparaba las condiciones de aceptación de la firma del Plan Colombia. Revise usted la cobertura periodística. Es exactamente lo que sucedió en el Perú para la preparación del golpe de Estado: toda una penetración sicosocial para crear una actitud favorable y apasionada de la población. Lógicamente, esa actitud fue agradecer que los Estados Unidos se acomodaran mucho mejor en el corazón del país, con el pretexto de apoyar a su gobierno.

»Pero, ojo: el objetivo de los Estados Unidos no sólo era la firma del Plan Colombia; era convertir a las FARC en una organización que haga peligrar la seguridad de la región. Con ese argumento instalaron bases militares —es información pública— en Colombia, en lugares llamados Marandúa cerca de Venezuela, en Tres Esquinas, en San José y en Leticia, cerca de nosotros. En el Perú son Sinchicuy y Yavarí, y en Ecuador, Manta, además de las que funcionan en Brasil.

»Eso forma parte de toda una concepción geopolítica del gobierno estadounidense que tiene ahora una injerencia directa y mayor que nunca antes en la región amazónica, donde están el agua dulce y el incalculable banco de genes para el futuro de la humanidad. Todo gracias a dos magníficas disculpas: la cocaína y la poderosa guerrilla colombiana».

FINACIACIÓN

—¿De donde salió el dinero para la operación de las FARC? En el Congreso del Perú hemos comprobado que los gastos operativos para posibilitar los vuelos del Ilushin 76, como fueron la compra de combustible, gastos de aduana, compra de maderas y frutas que se llevaban en avión de regreso a Ammán como parte de la coreografía, pago de pisos de aeropuertos, etcétera, fue financiado con fondos del Servicio de Inteligencia Nacional del Perú. Es decir, Montesinos con dinero del Estado peruano financió parte de la operación. La compra de las armas se hizo con dinero que apareció en Europa, aparentemente España, de acuerdo con información en poder de la comisión investigadora.

»Inicialmente, Montesinos pretendía pagarle al contado y en efectivo a Sarkis o al gobierno jordano. Pero estas operaciones nunca se hacen en efectivo y Sarkis se asustó cuando Montesinos propuso entregarle 34 millones de dólares en billetes, en la embajada del Perú en Madrid. "¿Qué es eso?", dijo el traficante.

»Nosotros creemos que, de acuerdo con ese monto, no solamente se estaban negociando fusiles y balas, sino todo un paquete de diferentes armas, granadas y misiles.

»Según nuestra información, el pago del armamento fue hecho por las FARC, parte con cocaína y parte con dinero. Lo primero no está verificado totalmente pero hoy nos movemos sobre indicios sólidos. Uno de ellos es la visita intempestiva —y espectacular por demás— que hizo Montesinos en 1999, a la base militar de Güepí, antes del primer vuelo.

»Esa vez, Montesinos ingresó en medio de un impresionante operativo militar, supuestamente con el pretexto de verificar el desplazamiento de las tropas peruanas a la frontera con Colombia, pero sabemos que ese día en la base de Güepí, se reunió con civiles colombianos (hay algunas identidades).

»Por otro lado, primero a través de la embajada de Jordanía en Santiago de Chile; después en la Cancillería, en Ammán, y más tarde con el Ejército jordano, hemos logrado establecer que ésta fue una operación ilegal, de la cual tenían total conocimiento gente de la CIA, alguien en la inteligencia jordana y alguien en la alta jerarquía del Ejército jordano.

María Palito

Lo que bailó Clinton frente a la iglesia de San Pedro Claver en las calles de Cartagena de Indias se llama *María Palito*, una puya sabanera interpretada con flautas y tambores. *Güepajé*, decía la bailaora cada diez pasos, «y ese hombre con la cadera tiesa, no joda, y el sudor chispiándole por debajo del sombrero que otro gringo le clavó en la cabeza... De todas maneras Juancho Clinton parece un hombre chévere, ¿me entiendes?».

Como lo habían prometido dos semanas atrás en la Alcaldía, ese día el sector turístico de Cartagena se hallaba «liberado» de negros, de niños de la calle y de mendigos.

Y las paredes también estaban limpias. Durante diez amaneceres una brigada de pintores había hecho el recorrido aprobado por los enviados de la Casa Blanca para el paseo de Clinton, cubriendo los letreros «que unos cuantos terroristas pintaban por las noches con insultos vulgares y cochinos contra el señor Presidente de los Estados Unidos y contra el Plan Colombia», según el jefe de la Policía.

—¿Capturaron a alguno?

—No, pero ya sabemos quiénes son. Los tenemos acorra-
lados.

Los niños de la calle —en Colombia les dicen gamines—
fueron ordenados por «lotes» entre los 12 y los 17 años. A
algunos los enviaron a un par de albergues del Estado en las
afueras de la ciudad, durante tres semanas.

—Qué bueno que el presidente Clinton viniera todos los
días para que se resolvieran los problemas de la niñez en
Colombia.

—¿Por qué tres semanas? ¿Por qué no dejan a los niños en
esos campamentos educándose?

—Tratar a un niño de la calle cuesta mucho dinero y el
gobierno dice que no tiene dinero para eso.

Palabras de Jaime Ospino, director del Instituto de Bie-
nestar Familiar en Cartagena, al diario *El Universal*.

A otros niños los treparon en camiones, los trasladaron a
otras capitales y los descargaron en las calles. Al fin y al cabo,
los gamines que deambulan por el sector turístico de Cartagena de Indias no son de allí —la gente del Caribe colombiano
no lanza niños a las calles— sino enviados a su vez por las
ciudades del interior del país.

A los negros y a los mendigos les notificaron con la corte-
sía acostumbrada que si regresaban durante aquellos días a
sus territorios de trabajo, les quebrarían el culo a garrotazos,
y a los paralíticos y a los lisiados que deben pedir limosna
para sobrevivir, los hacinaron tres días en el Hospital Universitario y en otros centros.

¿Y los enfermos mentales?

Al Hospital San Pablo se le adecuó de emergencia algún rincón con el fin de guardar allí a los enfermos mentales que duermen en la calle. Igual sucedió con la clínica psiquiátrica de Turbaco, *El Universal*.

Un mes después de la visita Clinton, el Estado cerró el Hospital Universitario de Cartagena, una institución de tercer nivel con novecientas camas para la gente más pobre. Cuando lo cerraron, los que mandan en Cartagena callaron. El presidente Pastrana guardó silencio.

Para muchos cartageneros, durante aquellos días la idea del gobierno era esconder la infamia bajo la alfombra, pero una vez se fue el visitante, ésta comenzó a ocupar nuevamente su rincón en la sociedad.

El pavimento de algunas vías se ha resquebrajado, su pintura desaparece, otras carecen de aceras. A lo largo de dos avenidas y previo permiso de la comitiva de seguridad de la Casa Blanca, fueron sembradas hileras de palmeras, *las palmeras más caras del Caribe*. Hoy están convertidas en manojos de tamo, igual que aquella que plantaron unas señoras en la Casa de la Justicia, pero luego apareció por allí el hombre de la tez acharolada y el reloj de oro y les dijo con su acento de Puerto Rico:

—¡Alto ahí!

—¿Alto a qué, míster Bernal?

—Arranquen esa palmera, desaparézcanla ya. Medida de seguridad porque cuando venga el Presidente de los Estados Unidos a inaugurar esta casa, detrás de la palmera puede esconderse algún terrorista.

—Orden perentoria —subrayó el jefe de la Policía colombiana.

Aquello de *Casa de la Justicia* es una broma de tan mal gusto como la que hicieron los miembros del gobierno en una esquina, frente a este edificio «cuyo fin es lograr que los

pobres tengan acceso a la justicia según el Plan Colombia»
(*El Universal*).

Es que cuando terminaron la construcción, frente al edificio de la justicia había una casa de tablas, hogar de gente humilde, y a alguien le pareció que desentonaba con la estética de la vecindad y había que tirarla. Y la tiraron al suelo. La casita era de cuatro habitaciones, una cocina, un baño y con parte de los dineros que ordenó girar el presidente Pastrana para la ocasión, construyeron apenas la mitad, *la casa más cara del Caribe*, de lo que tenían allí Antonia Sarmiento, su hijo y su nieta, y dejaron el resto descubierto y cubrieron con cemento sólo la mitad de la fachada y, carajo, como se veía tan blanca y tan pequeña, aquella tarde uno de los que acompañaban a Clinton le dijo algo al oído y el Presidente se acercó, sus guardias abrieron la puerta de un golpe y, carajo, detrás de aquella fachada de estudio cinematográfico aparecieron unos muros desnudos y una habitación en obra negra, oscura, cálida como un horno, y en el centro una mujer muy dulce y muy digna, pero muy harapienta, observando silenciosa la invasión de intrusos.

Un año después de aquella tarde fui a conocer el lugar. Ella y su hijo estaban sentados frente a la puerta. A su lado, una caja con algunos caramelos. Dijeron que si no los vendían todos, no tendrían con qué comer esa noche.

—Tus vecinos dicen que su misión es hacerte justicia. ¿Por qué no cruzas la calle y vas hasta allá? —le comentó mi acompañante con aire de broma, y ella guardó silencio. Luego le dijo:

—Lucho: llévate un caramelo, están frescos.

—El señor presidente Pastrana se opuso a que ese treinta de agosto fuera declarado Día Cívico, porque deseaba que la

CON LAS MANOS EN ALTO

ciudad luciera con todo su dinamismo, como en cualquier día normal. Pero para él, lo más importante era que la visita del presidente de Estados Unidos no fuera impopular —dijo uno de los altos mandos militares que participó en aquel día de júbilo para Colombia.

No obstante, el recuerdo de la visita de Clinton para muchos cartageneros es la imagen concreta de la guerra y del atropello que se acentuaron en el país a partir de allí: seis mil soldados y policías colombianos cargados de arneses y en los arneses balas y en las manos fusiles, ametralladoras, bazucas, pistolas, gritos, marchas, zapatazos contra el suelo, amague, toda aquella parafernalia tan colombiana, es decir, tan estridente, sumada a las muecas paranoicas de un millar de estadounidenses intentando esconder sus armas donde no debían esconderlas porque las hacían más visibles, tratando de adherirse a las paredes como gelatinas, escudriñando a través de anteojos oscuros en la oscuridad de la noche, vestidos como nadie se viste en esta zona del Caribe.

Desde una semana atrás la gente era revisada, su ropa, sus libros, sus portafolios esculcados, explorados, sus bolsillos revisados: brazos en alto, manos apoyadas contra el muro, pies separados. O, las huellas digitales sobre la pantalla de una diminuta computadora: casi simultáneamente aparecía en ella la vida privada de cada persona. La información le fue entregada a los estadounidenses como un servicio del Estado colombiano.

Aquellos días, cualquier cartagenero era un terrorista en potencia que iba a atentar contra el mandatario estadounidense.

Pero llegó «El Día D», como dijo la prensa estadounidense y repitieron los periodistas colombianos, y las gentes vieron que no podían abandonar sus casas y desde las nubes las naves estadounidenses barrían la ciudad y los campos, cientos de kilómetros a la redonda. Aviones espía, buques espía, espionaje electrónico. «Desde sus aviones plataforma volando a más de 35 mil pies, los *americanos* estaban en condiciones de leer hasta la hora que marcaba cualquier reloj de pulsera que caminara por la ciudad», me explicó uno de quienes comandaron aquella multitud de extras colombianos con sus uniformes que hubiera hecho ruborizar a Cecil B. de Mille.

Según lo habían advertido los hombres de seguridad de la Casa Blanca, que eran quienes daban las órdenes y manejaban el *operativo*, «El Presidente de los Estados Unidos de América viene a jugarse la vida en el país con la guerrilla más peligrosa del mundo».

Escuchado aquello, ellos adelante y los policías y los militares colombianos detrás, comenzaron a buscar a Satanás.

En la calle de la Media Luna desaparecieron las chicas aquellas y aparecieron una noche otras con acentos caribeños pero no cartageneros. Ojo: zona infiltrada decían los hombres. Es que en Cartagena de Indias todos se conocen, todos saben quién es quién.

—En la Plaza de la Aduana apareció un negro, bueno: no era negro. Ese hombre era azul oscuro, tocaba un tambor y seguía a la gente con una mirada escudriñadora, pero no era un pordiosero como los que escondió la Policía, qué va: era un tipo musculoso, con un tambor distinto de los tambores típicos colombianos y un ritmo que no era ritmo ni era nada: ruido. Al día siguiente de lo de Clinton el del tambor había desaparecido. ¿Tú crees que los cartageneros somos bobos?
—dice mi amigo Lucho Lenguas.

Y en Cartagena de Indias es sencillo saber, por ejemplo, que los *jíbaros* más famosos en la venta de cocaína por dosis son el Lobo, cuyo territorio es el entorno del hotel Las Américas; el Peluca, dueño de la vecindad del hotel Santa Clara, y Cuartobate, que se mueve en medios del hotel Santa Teresa.

Los vi a todos. Gente locuaz. Hablan de su trabajo como el ingeniero habla del suyo. Venden papeletas con un gramo, con dos gramos de cocaína. Según el paciente. Pero al lado de la papeleta van la mujer o la niña, como las piden los italianos y los ingleses, o el niño, como exigen invariablemente los pederastas franceses. Pues bien: durante el mes que antecedió a la visita, ellos, que son quienes «manejan» las áreas de los hoteles en los cuales se hospedó la legión de vanguardia de la Casa Blanca, vendieron lo que nunca habían vendido en su vida, según sus propias palabras. «Esos gringos que trajo Juancho Clinton», dice el Lobo, «le ganan en vicio a los italianos y a los ingleses, y en deprave a los franceses». El Peluca confiesa que «en ese momento el gramo de cocaína se vendía en dos dólares, pero ellos exigían mucha privacidad y claro, la pagaban: cinco dólares por gramo. Con ellos, sobraban dólares y faltaba coca».

Y Cuartobate: «Cuatrocientos dólares por niño, doscientos por hembra de dieciocho años».

Bueno, pero, ¿Satanás? ¿Dónde estaba Satanás? Su figura era el único efecto que podría destacar ante el mundo la necesidad del Plan Colombia, de manera que los servicios de inteligencia locales, ante la presión de los servicios de inteligencia estadounidenses, anunciaron dos semanas antes que habían logrado desmantelar un complejo bien organizado de guaridas de la guerrilla, en las cuales estaban fabricando toneladas de bombas explosivas para volar una parte de Cartagena de Indias cuando Clinton estuviera en la ciudad, y claro, el despliegue de la prensa y de la televisión estadounidense y el de la local fueron inusitados.

«La CIA y la Policía colombiana frustran ataque fulminante contra Clinton», decían algunos diarios. Otros: «Ejército y Armada frustran atentado contra Clinton», y otros: «FBI frustra

atentado contra la vida del Presidente de los Estados Unidos
de América en Colombia». Variedad de titulares según el número de conferencias de prensa.

A medida que se acercaba la fecha, Satanás adquiría mayor
estatura. Una semana antes, la Policía local anunció a través de
la televisión estadounidense la captura de un importantísimo
traficante internacional de armas nucleares, conectado con el
terrorismo internacional. Otra explosión publicitaria, pero horas después la Fiscalía aclaró que se trataba de un conocido
vendedor de pólvora para Navidad en el barrio cartagenero
de El Laguito y lo dejó en libertad.

Sin embargo, todo resultó maravilloso porque luego de
cada escándalo a nadie le interesaba aclarar nada, mientras la
imagen virtual de Satanás arrojando fuego por los ojos había
quedado impresa en la mente de medio mundo. De eso se
trataba.

Oh, definitivamente aquélla fue «La Visita».

Por ejemplo, no estaba previsto que el presidente Clinton
se encontrara frente a un grupo de viudas de soldados muertos en el conflicto colombiano, pero faltando dos días para su
llegada, a uno de los líderes de la legión de estadounidenses
de los cuerpos de seguridad y de protocolo y de política exterior y de espionaje electrónico que invadían la ciudad, se le
ocurrió la idea.

Le explicaron a los colombianos cómo debía ser el encuentro y luego de un debate, los colombianos aconsejaron que el
escenario ideal sería algo llamado Sociedad Portuaria. Los
estadounidenses visitaron el lugar, husmearon, dispusieron
que desbarataran alacenas, dijeron que quitaran puertas, dieron la orden de podar casi hasta el exterminio setos de plantas
y desarmar ductos de aire acondicionado, ordenaron pintar de

blanco los techos, de blanco sin brillo los muros, inspeccionaron cuanto rincón hallaron y luego le dijeron a uno de los representantes del gobierno colombiano: «Localidad autorizada. Proceda». Se trataba de un punto estratégico en el cual podrían instalar una carpa y sillas para sentar a las señoras.

Los estadounidenses pidieron luego una lista de candidatas y la recibieron en pocos minutos. Preguntaron quién era cada una de ellas, sus antecedentes, su filiación política, cómo estaban conformadas sus familias: ¿Algún narco en las últimas dos generaciones? ¿Algún terrorista? ¿Algún enemigo de los Estados Unidos de América? ¿Enfermedades infectocontagiosas? Fotografías de las señoras, impresión de sus huellas dactilares, talla, peso, color de la piel, de los ojos, de los cabellos, señales particulares.

Las aprobaron a todas. Sin embargo, uno de piel acharolada y acento de Puerto Rico, les dijo:

—¡Un momento!

La gente del gobierno colombiano congeló sus movimientos, detuvo sus gestos. Silencio:

—Diga usted, míster Bernal.

—¿Hay entre ellas alguna embarazada?

—No, señor.

—Bueno, pues busquen a una. En ese grupo debe aparecer una embarazada. Colóquenla al comienzo de la fila que encontrará el Presidente de los Estados Unidos.

La buscaron. La encontraron.

—¿Quién es?

—Yina, seis meses de embarazo, compañera del infante de marina profesional González Velázquez, Óscar, muerto en combate.

—¿Llena los requisitos?

—Sí, míster Bernal. Los llena.

—Tráiganla.

Cereté, ciudad del Caribe. Víspera de la visita del presidente Clinton, siete de la mañana:

—¿Señora Yina?

—Sí.

—Espere en la línea. Le va a hablar personalmente el señor comandante general de la Armada Nacional de la República de Colombia

(«Pensé que iban a solucionar mi situación económica. "Virgen Santísima, bendita seas", dije»).

Luego la voz del almirante. Ella nunca había escuchado la voz de un almirante.

—Señora Yina, la estoy llamando para comunicarle que usted ha tenido el honor de ser escogida y ha sido privilegiada entre todas las viudas de la Armada Nacional para que vaya a Cartagena en representación de la institución, y allí presenciará de cerca la llegada del señor Presidente de los Estados Unidos de América.

Media hora después se comunicó con ella una anfitriona, la teniente María Elena, quien le anunció un taxi para llevarla a Cartagena de Indias y antes de despedirse le repitió que debía estimar aquella invitación como un honor que le hacían la patria y la Armada Nacional, y después subrayó que ella era una mujer con muy buena suerte porque podría ver de cerca al presidente Clinton, y más adelante enfatizó: usted es una privilegiada.

«Privilegio sería que me sacaran de esta pobreza», pensó ella antes de que cortara la comunicación.

La hospedaron en la Base Naval. Por la tarde algunas entrevistas con oficiales, luego un desfile para los fotógrafos de prensa (Cartagena de Indias es ciudad de reinados de belleza). Por la noche un coctel.

—Doña Yina, su esposo fue un gran colombiano, dio la vida por la República.

—Doña Yina, usted está esperando al hijo de un patriota.

De regreso a su habitación escribió en dos hojas de papel algunas ideas. Trataría de entregarle una a cada uno de los presidentes:

Me faltan tres meses para dar a luz a mi hijo y no tengo ni para comprarle una camisita. Su padre dio la vida por una patria que hoy le da la espalda a su hijo y a su mujer...

Treinta de agosto del Dos Mil. Por la mañana temprano la llevaron adonde un estilista, le arreglaron el cabello, una maquilladora le dio tres toques en el rostro. Luego se fueron en busca de la Sociedad Portuaria. Ahora no contaba con una anfitriona sino con dos asistentes: la teniente María Elena y el suboficial Padilla.

—Ella me tomaba por la mano para subir gradas, para moverme, para embarcarme en el autobús. Él me recibía.

Una vez en la Sociedad Portuaria se encontró en medio de una conferencia de prensa a la que el teniente de navío tituló *Las viudas de la guerra*.

Luego apareció un mulato, acento dominicano, aire de mariscal y les enseñó cómo debían ponerse de pie, cómo tenían que mirarlo, cómo lo debían saludar, qué distancia debían guardar en relación con el presidente Clinton, cuántas palabras podrían pronunciar.

Dos horas después llegó Clinton: cinco aviones y entre los aviones uno de los helicópteros de la Casa Blanca, autos, limosinas, contenedores con sistemas de seguridad, de comunicaciones, comida, agua potable, periodistas, funcionarios y más agentes de seguridad que se sumaron a los que ya invadían la ciudad. Por todos eran 1.500 estadounidenses sudorosos en pos de destruir resistencias al Plan Colombia y, ante todo, lograr que los colombianos, definitivamente aceptaran a Clinton y a los suyos... como suyos.

Yina:

—Cuando vi al señor Clinton recité mi lección: soy de la Armada, mi esposo murió por la patria... Y luego, a pesar de lo que había dicho el señor dominicano: tengo seis meses de embarazo, hasta hoy he vivido en la pobreza, me cortaron los servicios médicos cuando él falleció, hoy no tengo a qué médico acudir, no tengo dinero, no tengo trabajo, no tengo para pagar una renta y carezco de vivienda, carezco de un plato diario de comida. Mi esposo murió por defender a la patria.

—¿Quién traducía?

—El Presidente de Colombia.

Clinton se alejó, escuchó a las demás viudas y cuando terminó regresó adonde estaba ella. Un mestizo con el acento de los cubanos de Miami le explicó que el Presidente estaba conmovido.

—Luego lo vi de cerca: sí, tal vez estaba conmovido. Me abrazó.

—¿Qué ha dicho él? —pregunté:

—Que su padre murió cuando su madre estaba embarazada de él.

«Lo miré a la cara, luego recosté mi cabeza en su hombro».

El Presidente de Colombia se veía más feliz que los oficiales estadounidenses, que se hallaban muy felices, pero él vibraba, le daba golpecitos al piso con sus tacones, se frotaba las manos; parecía no caber en su camisa. Realmente el espectáculo había resultado maravilloso.

—Tú recibirás toda nuestra ayuda y todo nuestro cariño. El Plan Colombia es justamente para apoyar a los huérfanos y a las viudas del conflicto armado —le dijo luego en presencia de Clinton y él mismo tradujo sus palabras.

Clinton asintió con un movimiento de cabeza y Pastrana le ordenó a alguien que tomara nota:

—Estudiaré tu caso. Todo será muy rápido porque en el Plan Colombia habrá un gran apoyo a las madres cabeza de familia y a los niños huérfanos del conflicto armado —dijo, le entregó un papel con el número telefónico «del doctor Julián», su secretario privado y le pidió que se comunicara con aquél.

Cuando se retiraron, las cadenas de televisión y los fotógrafos se abalanzaron sobre ella, querían entrevistarla:

—El presidente de Estados Unidos había llorado conmigo. (Las imágenes le dieron la vuelta al mundo.)

—En las entrevistas no dije que aunque tenía seis meses de embarazo, desde hacía dos el gobierno me había quitado los servicios médicos. Ni conté que estaba tan pobre que había vendido ya parte de mis muebles, la licuadora, algunos platos y algunas ollas para poder comer.

»Pasaron tres meses, tuve el hijo en la clínica de Sincelejo y salí de allí sin un peso, sin una camisita para ponerle y, además, estaba atrasada en el pago de la mensualidad de la habitación donde vivía. Bueno, lo normal en una viuda, digo yo: en ese momento no tenía nada, pero además debía dinero.

»El dueño de la vivienda me quitó el agua, la luz, me quitó los juegos de comedor, una cómoda, me echó a la calle y cubrió desde la puerta hasta la ventana con una cadena y luego la aseguró con un candado».

Desde cuando Laura Cardona —una gran reportera de Cartagena de Indias— vio a Yina ante los presidentes decidió seguir su caso y cuando se reencontró con ella la halló durmiendo a la intemperie, en el piso del corredor de una casa en la cual le habían permitido entrar.

La historia de Yina y su hijo fue publicada con despliegue unos días más tarde en *El Tiempo* y después aparecieron los de la radio y los de la televisión.

—Una sarta de mentiras vulgares. Ustedes los periodistas están tejiendo un novelón con lo que dice una loca. Esa mujer es una alienada mental —explicó en una conferencia de prensa el que mandaba en la tropa.

Pero la crónica escrita por Laura Cardona no sólo le trajo agresión. Un matrimonio le permitió refugiarse en su casa y gente de otras ciudades ofreció algún dinero. Yina hizo conocer el número de la cuenta de ahorros del dueño de la casa, pero el día que aquél la lanzó a la calle, no solamente negó que hubieran depositado algo en su cuenta, sino que se quedó con uno de los televisores y la estufa eléctrica.

A raíz de la crónica de Laura localizaron a Yina «de parte del doctor Julián», y luego él tomó el teléfono y le preguntó en qué podía apoyarla la Presidencia de la República. Ella le dijo:

—Estoy en la calle con mi hijo recién nacido. Ayúdenme a conseguir un techo.

—Bien. Tomaré nota y nos comunicaremos después con usted.

No llamó jamás.

Unas semanas después, con ayuda de una estudiante, envió comunicaciones *e-mail* al Presidente, otra a la Primera Dama, otra al doctor Julián, otra a la señora Clinton. La señora Clinton respondió una nota amable pero, como era lógico, protocolaria. Los demás nunca contestaron y ella continuó enviando mensajes y mensajes, tras los cuales un día la buscaron de algo llamado Instituto de Desarrollo Urbano de la capital y le dijeron que alguien de la misma institución en el Caribe hablaría con ella, y un señor del Caribe le dijo que llamara al doctor Vergara Arrázola y el doctor Vergara Arrázola le dijo que llamara al doctor Martelo y el doctor Martelo le dijo que llamara al doctor Pava y el doctor Pava le dijo que llamara al doctor De la Hoz y el doctor De la Hoz fue al punto:

—La Presidencia de la República no tiene presupuesto para lo que usted está pidiendo.

Desde entonces ha recorrido varias viviendas. En cada una permanece algunas semanas y luego regresa al punto de partida: como no tiene con qué pagar la renta, la ponen en la calle, pero antes de hacerlo, los dueños van quedándose con algo suyo. En cierta forma es la historia de *El viejo y el mar*: al comienzo el pez poseía un juego de alcoba, otro de sala, otro de comedor, equipo de sonido, lavadora, dos televisores, VHS, estufa eléctrica, nevera, tres ventiladores. Cambiaba de casa pero antes iba perdiendo algo hasta quedar finalmente reducida a una cama y una cuna para el pequeño.

—González Velásquez, Óscar —dice ella— era un soldado profesional de la Infantería de Marina: trece años sirviéndole a la institución.

—¿Cómo murió?

—En una operación para rescatar a una señora secuestrada por la guerrilla.

La señora es persona adinerada, dueña del colegio más elegante y más caro de la región y cuando estuvo libre de cadenas y Yina desprotegida, una mañana se encontraron:

—Déjeme trabajar como empleada suya. Puedo hacer el aseo de su casa o del colegio, lo que usted quiera. No me pague. Solamente deme un lugar para dormir con el hijo de un hombre que dio la vida por su libertad —le dijo Yina, y la educadora respondió:

—Te ayudaré pero en otra forma: entrégame al hijo porque conmigo vivirá mejor, y tú vete lejos de aquí. Yo te doy para el transporte.

Yina conoce el camino hasta el batallón de Infantería de Marina en Corozal, metro por metro, árbol por árbol, las luces y las sombras que se enredan en las ramas según ella cruce por la mañana o antes de atardecer, distingue los guijarros en las huellas de sus pasos y los sonidos de la flauta del viento en cada esquina, la identidad de los centinelas a doscientos metros según sus siluetas, y el número de mariposas que se levantan del piso a medida que camina.

Desde cuando nació el hijo hace aquel camino con la ilusión de que por fin le prometerán ayuda, y lo deshace con un «no» que se queda aleteando entre la caja del cráneo por las noches. Según se lo dijo alguien, el hormigueo en la boca del estómago cuando despierta, significa *miedo de existir.*

—¿Tú crees?

—No. Es fatiga —responde Laura.

Cuando entra al batallón, más allá del rebaño de robots que acompasan un canto con la cadencia del trote, *soysoldado-deeemipatria*, ve unas bodegas en las cuales almacenan arroz, granos, aceite para la tropa:

—¿Por qué no se les ocurrirá darme una porción algún día? —pregunta, y luego se responde: «No hay nada más desprotegido en este país que las viudas y los huérfanos de esta guerra. Somos cero. Si los soldados adivinaran en qué momento van a morir arreglarían sus cosas, pero... Mire: los soldados están en la misma situación del campesino-campesino que muere por ahí».

—Estar en cualquiera de los bandos es igual: todos son el mismo campesino —dice Laura.

—A los dos meses de haber nacido el niño, una trabajadora social del Bafi Cinco me dijo que lo llevara a una sala cuna, lo dejara allí abandonado y me fuera a trabajar.

—La han juzgado muy duro —comenta Laura y luego dice—: Yina aún no tiene idea de la magnitud del proceso judicial que la espera para lograr que el hijo de un soldado muerto sea reconocido legalmente. Ni tiene un abogado que la ayude, ni tiene con qué pagarle a ese abogado. Ella está frente a una maraña jurídica de la cual no sabe ni cómo entrar ni mucho menos salir.

El día que la conocí, Yina vivía en una pequeña habitación que le cedió en su casa un enfermero compañero de su compañero que trabaja en el hospital de Cereté, otra clínica del Estado para gente pobre al borde de la ruina, por lo cual él no cobra sueldo desde hace ocho meses.

***

(En octubre del Dos Mil Uno, luego de una segunda publicación de Laura Cardona en *El Tiempo* hablando de la lamentable situación económica de Yina, la Armada Nacional le ofreció un empleo.)

Debussy bajo la lluvia

A las cinco y media subía por la pendiente caminando a buen paso. Era una mujer menuda con su pelo cano. Y no se veía fatigada, qué va. Es que venía de abajo, diga usted, de dos grados más de temperatura. Para expresarlo mejor, deben ser trescientos metros en sentido vertical. Según lo dijo, venía recorriendo las veredas y ahuyentando a los perros en las casas de los que ella creía que tenían algún dinero para venderles una boleta.

—Boleta...

—Para un concierto de piano. Vale diez mil pesos.

—¿Piano? Dónde.

—Aquí en el pueblo. Música de Fauré...

En el pueblo sólo hay un piano conocido, el de Francisco Sarmiento. Un piano vertical traído a comienzos del siglo pasado, que, a decir verdad, nunca, o casi nunca ha sonado, porque ni Francisco ni su familia son melómanos.

—Sí, el concierto será en esa casa. Él me la prestó.

Aquello parecía una fábula. ¿Concierto en una aldea en la cual generación tras generación pueden dar cuenta solamente de una música mexicana *con cuchillas de esas de afeitar para cortarte la cara y sacarle las tripas a tu madre*, de rancheras con machos que matan, de todo ese cargamento de música depresiva en la cual hasta los guaduales —bambú tropical— aparecen llorando? No puede ser.

—Es un concierto —agregó luego doña Alba, Alba de Dávila— para conseguir un dinero y tratar de recuperar la casa de Carmen Rosa, mi vecina.

La casa de Carmen Rosa es un «tren» —como ella misma la describe— construido con ladrillo ennegrecido por el humo y el tiempo. Un tren que se mueve cada vez que sopla el viento que baja de la montaña y reseca los campos en agosto. El tren tiene delante una cocina pequeña, tal vez tres metros por cada costado, luego una pieza aún más pequeña, ¿dos metros?, donde duermen Carmen Rosa y sus dos hijas. Carmen, la menor, de unos dieciocho, se acomoda entre una cuna y le quedan por fuera la mitad de las piernas. En una cama duermen Carmen Rosa y Rosa, la mayor, de unos veinticuatro. El convoy termina en un *cambuchito* armado con mamparos de palma tejida como las del Domingo de Ramos, pero seca y descarralada, donde duerme el viejo Luis, padrastro de Carmen Rosa.

—¿Y los concertinos?

—Mi hijo Juan Cristóbal, Isabelle, su mujer y el nieto, David, un niño de ocho años que toca la flauta. Juan Cristóbal e Isabelle son profesores titulares del Conservatorio de Mennecy, a 45 minutos de París. Ambos estudiaron en la Escuela Normal de Música de París, se enamoraron y se casaron hace nueve años. Pero contarse como titular allí es algo más que un honor, en un país donde el ochenta por ciento de los profesores de música no tienen un cargo fijo.

Así que Juan Cristóbal e Isabelle son privilegiados en un medio en el cual únicamente cuenta la calidad profesional. Ella, desde luego, es francesa. Él, colombiano. Estudió primero en el Conservatorio Nacional en Bogotá pero el ruido de las balas, que es una parte de la cultura nacional, le dijo que debía emigrar. Se fue a Francia.

El concierto nació una mañana que doña Alba bajó hasta la aldea y le dijo al operador de Telecom que deseaba llamar a Francia.

—¿En qué municipio?

—No. Francia, un país.

Media hora después gritaron:

—La dama que llama a Francia, cabina dos.

—Juan Cristóbal, tú sabes: Carmen Rosa es mi vecina, una casa que no es casa, cuatro seres humanos más buenos que el pan. Aquí todavía no hay guerrilla ni paramilitares, ni militares. Vente.

—No me importa que lo de allí sea un piano o una cacerola. Por una causa como esa, vamos los tres —respondió aquél.

Este sábado, el camino estaba arropado por la niebla, pero llegando a la aldea presentó el sol y en una de las últimas curvas apareció aquella valla: «El coquero pobre».

Eran épocas de bárbaras naciones y Bayardo, el dueño de una venta al lado del camino y de un pequeño camión Chevrolet 54 que transporta coque —carbón quemado al horno que genera mayores temperaturas—, decidió ponerle ese nombre al negocio.

—El narco, mejor dicho el *coquero* rico no dijo nada porque el nombre de mi negiocio lo puso el mismo pueblo: todos decían que yo era el coquero pobre; que yo era el coquero pobre —cuenta el hombre, sonriendo a través de una pianola de encías roídas a la que solamente le queda un par de teclas en los extremos de los labios.

Un poco antes de las cinco volvieron a cargarse las nubes. Raro en agosto. La idea era colocar el piano en el patio pero lo dejaron allí en uno de los corredores al lado del trasportón, esa puerta con una campana que anuncia la llegada de alguien. Hacia afuera están el zaguán y el portón que da a la calle.

Casa con patio central y helechos, zarcillejos, amarantos, yedras, toda esta vegetación espontánea de los climas tibios, y a los lados corredores en madera reluciente que huele a cera de carnauba. Y casa de concepción española, con habitaciones que convergen en el patio, pero a la vez republicana, con calados de madera y visillos sobre las vidrieras del comedor y del salón principal y mobiliario que no tiene nada que ver con lo ibérico, como no querían que lo fuese aquellos colombianos que a partir de la guerra de Independencia intentaron borrar todo lo que pareciera español y se abrieron al neoclásico francés y al neogótico inglés. Testimonio de un país que cree haberse independizado, pero su falta de personalidad lo lleva a buscar a quién entregarse y se dedica a tratar de copiar lo ajeno.

La batalla de Boyacá, la derrota de los españoles: *Oh, gloria inmarcesible... Termópilas brotando... Constelación de Cíclopes...* Vaya oportunidad que perdimos de ser nosotros mismos.

En los oídos de un neófito, el piano se escucha bien. Fue traído en 1904 o 1905, terminada la guerra de los Mil Días, por Alejo Corchuelo, dueño de un cafetín que había en la esquina de la plaza. Café La Paz se llamaba, pero el piano tenía un rodillo de cobre y sonaba cuando le colocaban cintas de papel perforado. Una pianola. Y se escuchaban allí *Claro de Luna, Para Elisa...* Eso que Francisco llama «cafetín», fácilmente podría ser hoy una sala cultural en cualquier parte del país.

En 1937, un poco después de la guerra liberal contra los conservadores, Corchuelo se arruinó —imagínese usted: con *Claro de luna*—, y le entregó el instrumento a don Ricardo Sarmiento, el padre de Francisco, como pago de una deuda. Le quitaron el rodillo y quedó convertido en esta joya color caoba.

Desde entonces ha sonado poco. Que se recuerde, la última vez fue en 1954. Unos lituanos que administraban aquí la Colonia Vacacional trajeron a los Ruiseñores de Vilna y hubo concierto, dice alguien, y Juan Cristóbal, el pianista, exclama:

—¡En ese momento yo aún no había nacido!

A las cinco y media Isabelle tocó el teclado y luego miró hacia atrás. Por sobre las tejas de barro del comedor se ve la parte superior de una colina que domina el pueblo, y leyó en la pizarra desnuda: «Dios Ve», escrito con grandes letras blancas.

Lo hizo pintar un cura en plena época de la guerra conservadora contra los liberales, años cincuenta. Pero el letrero fue perdiendo color y después, en los años ochenta, otro cura se hastió de la estridencia del *coquero* rico y su única arma fue hacer teñir nuevamente la sentencia con pintura de la mejor calidad:

«¡Dios Ve!»

Isabelle, que desde luego no sabía esta historia, buscó entre sus partituras y escogió algo llamado *Dieu Fidele (Dios fiel)*, y lo cantó acompañándose por el piano. Cuando terminó, Carmen, esa pequeña que sonríe a toda hora, fue tocada por aquella música que, según ella, no había escuchado jamás y se acercó a Isabelle:

—¿Qué es eso? ¿Qué dice esa canción tan bella?

A las seis y media lloviznaba. Un cuarto de hora después, llovía. Habían logrado vender treinta boletas, pero sólo se hallaban allí dieciséis personas. Las demás nunca llegaron.

Isabelle y Juan Cristóbal seleccionaron un repertorio liviano que comenzó sobre las siete. Primero, Debussy, música impresionista que evoca un paisaje como el de esta tarde húmeda de sábado y como la pintura de Monet, con lluvia, con árboles que se desdibujan entre la niebla.

El piano es un Stodart fabricado en Nueva York en 1893 y llegó al pueblo por un camino de mulas que subía de Honda a Dindal y de allí a La Palma y luego a Pacho, como se llama esta aldea. La Palma, a dos horas de aquí, era un lugar importante en la economía del país.

Isabelle y Juan Cristóbal interpretan a cuatro manos un minué delicado con toda la riqueza de sus armonías. Pero suprimieron *La muerte de Asa*, lúgubre, lenta... La Palma desapareció de la faz de la tierra. La bombardearon un poco antes del concierto de Los Ruiseñores, la arrasaron con el fuego del napalm, que no tiene armonías sino chasquidos. Los chasquidos de las llamas.

Después se escuchó a Faureé: *Canción de cuna*. ¿La cuna de Carmen? Y después de Faureé, Delerue. El pequeño David toma la flauta, su madre lo acompaña. Es algo sencillo, romántico, algo como una sola frase, pero suena triste. Dicen que parte del romanticismo es la tristeza, los extremos humanos. Posiblemente aquella tristeza la producían las armonías y el piano estático que en tres momentos breves responde a la flauta.

David es trigueño como yo. ¿Cuántos niños trigueños hay en este país habitado por gente de una enorme capacidad que, sin embargo, no ha tenido la oportunidad de asomarse a un instrumento musical diferente a los tambores de las bandas de guerra?

Por algo será que este piano no lo trajo aquí ni el Estado ni un colegio. No. Lo trajo el dueño de un café.

Dos días antes de venir a Colombia, Isabelle y Juan Cristóbal dieron cuatro conciertos con orquesta en Francia para un auditorio compuesto exclusivamente por niños. Eso es lo que nos aleja del mundo.

No sé cuál sería el sentimiento general cuando terminó la velada, pero el aplauso fue tan tenue que podía escucharse la lluvia bajando por unos tubos de metal en las esquinas del patio, y Juan Cristóbal exclamó:

—No estamos en Groenlandia —y se volvieron a sentar los dos frente al piano: *La gata golosa* de Fulgencio García, *Las caleñas, Feria de Manizales* que son pasajes de música popular colombiana y un café caliente.

Carmen Rosa seguramente tendrá un techo digno, gracias a algo que se llama cultura, de la cual desgraciadamente vino a sospechar sólo hoy, a sus sesenta años, contados en el calendario de las guerras de esta violencia endémica.

Los enviados de Cristo

No parecía normal que la prensa colombiana, tan respetuosa, hablara de mercenarios estadounidenses. Pero no de mercenarios, simplemente mercenarios, como había sido habitual hasta entonces, sino de mercenarios traficantes de heroína, y de mercenarios que morían en las bases militares donde justamente se refugian como luchadores contra la droga, llevándose las venas llenas de droga.

El tema tampoco fue iniciativa de la prensa colombiana, sino que saltó a sus páginas desde las columnas de *The Nation*, un diario del Canadá, y del *Saint Petesburg Times* de la Florida y de *The Miami Herald* y de *El Nuevo Herald*, y frente a ese caudal de tinta que resultaba imposible detener, o distraer como dicen los directores locales, un editor en *El Tiempo* aceptó la realidad en julio del Dos Mil Uno:

—No podemos callarnos, esto es mundial. Pero aclaremos que no es nuestro. Copiemos...

—Transcribamos —corrigió otro.

—Sí, transcribamos lo que dice *The Nation* pero sin comentarios.

—Nos van a matar los gringos —opinó un tercero, pero el líder volvió sobre sus pasos:

—No nos pueden hacer nada: estamos copiando lo que dice un diario canadiense al que nadie ha rectificado.

—Adelante, pero esto no me gusta, sería como decirles a los gringos, que son la sal, decirles que la sal se ha corrompido. Y si la sal se corrompe... Eso no está bien —insistió el segundo.

Transcribieron: «DynCorp traficó con heroína dentro del Plan Colombia».

Hablando de la gente común y corriente que son casi cuarenta millones de colombianos, nadie había escuchado antes aquel nombre, pero el diario lo aclaró bajo el título: «Es una firma contratada por el gobierno de los Estados Unidos para manejar buena parte de las operaciones de fumigación de cultivos ilícitos dentro del Plan Colombia».

Oh, el editor:

—No copien todo lo que dice *The Nation*, dejen únicamente lo que nosotros consideremos prudente.

Lo prudente:

«Según el diario *The Nation*, el más leído del Canadá, bajo el título *El problema de la droga en DynCorp*, en mayo de Dos Mil la Policía de Colombia encontró rastros de heroína en un paquete que iba a ser enviado por operarios de la firma en Colombia a una de sus sedes en La Florida.

»El informe se fundamenta en un documento interno de la DEA que se hizo público luego de que el diario apelara al Acto para la Libertad de Información que permite desclasificar algunos documentos de Estado requeridos por la opinión pública.

»Según el documento, la Policía interceptó el 12 de mayo del Dos Mil en el aeropuerto El Dorado de Bogotá, un paquete de Federal Express conteniendo botellas con un líquido parecido a aceite de motor. Peso: 250 gramos. El líquido, según la DEA, dio positivo para heroína y las botellas habían sido enviadas por un funcionario de DynCorp e iban dirigidas a su casa matriz en la Base Patrick de la Fuerza Aérea de los Estados Unidos en Florida.

»Expertos dicen que la heroína es soluble en aceite y por consiguiente puede ser extraída nuevamente sin mayor dificultad».

The Miami Herald señaló que «en la sustancia se camuflaron 250 gramos de heroína».

Ni la embajada en Bogotá ni mucho menos la Policía colombiana quisieron hablar del caso, pero según *El Tiempo*, transcribiendo al diario canadiense, «Existe interés en Estados Unidos por que este caso no trascienda al público, pues podría ponerse en peligro el futuro de las operaciones de DynCorp en Colombia».

Sólo en 1998, DynCorp obtuvo un contrato de 170 millones de dólares del Plan Colombia para fumigar (Revista *Prospect*, Estados Unidos, junio de Dos Mil Uno) y según *Corpwatch* de San Francisco en el año Dos Mil había cobrado 635 millones.

Nuevamente los canadienses: «Tanto la embajada de los Estados Unidos en Bogotá como la Policía antinarcóticos de ese país, han mantenido en completo secreto las verdaderas actividades que realiza esta empresa en Colombia».

The Miami Herald, crónica de Gerardo Reyes:

«Las actividades de DynCorp en Colombia se realizan bajo el más absoluto secreto y no cuentan con ninguna supervisión directa de los organismos de vigilancia y control del Estado colombiano. Lo anterior quedó demostrado con dos incidentes recientes:

»El despido —a comienzos del 2001— de 58 empleados colombianos para no pagarles de acuerdo con la ley, y la solicitud de la Dirección de Impuestos para que la compañía legalizara la importación de repuestos.

»A pesar de su importancia, el despido masivo se mantuvo en secreto. Según uno de los afectados, obedeció a que la empresa se negó a pagarle seguros de vida al personal colombiano, mientras mantuvo altas pólizas a los estadounidenses».

Descorchado el frasco comenzaron a saltar aceitunas diariamente en la prensa extranjera y algunas veces la colombiana repetía «lo prudente», de manera que la opinión pública fue enterándose de que, por ejemplo, los mercenarios de DynCorp colaboran en Colombia con soldados estadounidenses de Fort Bragg, Carolina del Norte, que llegan silenciosos cada vez en mayor número y se refugian en dos bases selváticas cercanas de Florencia llamadas Tres Esquinas y Larandia. Allí conviven con efectivos del Grupo Séptimo de Fuerzas Especiales del Ejército estadounidense.

Además de fumigar, DynCorp realiza espionaje para la CIA en Colombia y Perú, según lo dijo James Woolsey, director de esa agencia durante las audiencias del Congreso sobre su nombramiento en 1992.

Y esa opinión pública famélica aprendió también que DynCorp había sido relacionada por la revista *Fortune* como una de las quinientas empresas más poderosas de Estados Unidos. Desde luego, su negocio es la guerra y la guerra ha sido el mejor negocio de la historia... Y supo que DynCorp es una de las mayores contratistas del gobierno estadounidense, gracias a sus fuertes lazos con la CIA y el Pentágono, lo cual les ha permitido actuar donde hay conflictos, desde Bosnia hasta el golfo Pérsico, y que su base principal se halla cerca del cuartel general de la CIA en Langley, Virginia.

Pero a medida que la prensa colombiana transcribía, la gente fue sabiendo que el país estaba invadido por mercenarios estadounidenses y empezó a escuchar nombres de empresas que también tienen intereses en esta guerra: la Northrop Grunmman de California, relacionada con cinco poderosos radares colombianos... Bueno, esos radares son manejados por militares estadounidenses que dan información a sus bases en los Estados Unidos, pero fueron comprados con el dinero de los colombianos.

Luego de la Northrop escucharon hablar de la AirScan, que realiza reconocimientos aéreos, y de Air América, que trabajaba para la CIA en el Asia Suroriental durante la guerra de Vietnam. Los nuevos mercenarios son firmas independientes con su propio criterio de base.

Con los nombres de las compañías emergió parte del nuevo lenguaje de una guerra ajena. Por ejemplo, anteriormente la información sobre mercenarios se cubría con la clave secreta «seguridad nacional». Hoy no se dice así. Se dice «confidencialidad corporativa». Y si a los ciudadanos les hablan aquí del «Plan Colombia», en el Pentágono la clave de la guerra es «La ofensiva al Sur».

El *Sur* de Colombia es en este caso un departamento en la selva Amazónica llamado Putumayo. El gobernador del Putumayo conoció la versión española del Plan, o de la Ofensiva como es «lo militarmente correcto», ocho meses después de ordenada por Washington cuando compró una copia en una librería del aeropuerto de Bogotá.

Adam Isacson del Centro de Política Internacional de Washington, anota: «Parece un plan elaborado en unas oficinas en Bogotá y Washington sin consultar a las comunidades, y eso es exactamente lo que es. Confieso que no tengo idea de cómo esperan que este plan tenga éxito...».

Gracias a la prensa extranjera, Colombia supo que tenía en casa a la Eagle Aviation Services and Technology Inc., que también se presenta como East Inc.

En los años ochenta, Eagle o East y su fundador Richard Gadd volaron aviones del Departamento de Estado en la operación Irán-Contras, en apoyo al hoy general Oliver North, entonces funcionario del Consejo Nacional de Seguridad. En ese momento, la CIA traficaba con cocaína para ser convertida en *crack* y minar a los negros de California. Luego, con el dinero de la venta compraban armas para entregarle a La Contra, enemiga del gobierno nicaragüense.

El general North dice que «hoy nadie en Washington ni en Bogotá quiere admitir que el Plan Colombia no detiene cultivos, transporte o tráfico ilegal de drogas» (*TheWashington Times*, junio 11 de Dos Mil Uno).

Hoy en Colombia, Eagle o East es subcontratista de Dyn-Corp Aeroespace Technology. La representante a la cámara de Estados Unidos, Janice Schakowsky, dijo: «El antecedente cuestionable de haber estado involucrada en misiones encubiertas no aprobadas, añade otro nivel de interrogantes: ¿quién es esa gente y ante quiénes son responsables?».

Y el presidente de East, coronel retirado de la Fuerza Aérea, Thomas Fabyanic, respondió:

—East es una compañía privada y no está obligada a difundir ninguna información a ese respecto.

Como las demás, la East funciona libremente en Colombia sin que el Congreso ni las autoridades civiles del país conozcan sus actividades.

Pero, además, ni la Aeronáutica Civil, ni el Ministerio de Defensa ni la Policía Nacional reconocen tener conocimiento sobre cuántos contratistas extranjeros hay en el país y menos saben de sus actividades.

Schakowski, congresista demócrata por el estado de Illinoins, reaccionó ante el secreto en torno a los mercenarios de su país, que reciben millones de dólares cada año. «Estamos empleando a un Ejército secreto. Estamos enredándonos en una guerra secreta y el pueblo norteamericano necesita que le digan por qué», dijo públicamente en Washington.

Unos días después, la opinión pública colombiana —tan ignorante como estupendamente mal informada— escuchó hablar de la MPRI, Military Profesional Resources Inc., cuando se anunció su salida del país.

En el rincón de una página interior, bajo un título insignificante *El Tiempo* decía que MPRI abandonaba a Colombia en mayo del 2001 porque el Pentágono no renovó con ellos el contrato de entrenamiento a soldados colombianos, pues «los contratistas no entienden una palabra en español, no saben nada de América Latina y sus cartillas de entrenamiento se basan en operaciones como la guerra del golfo Pérsico que nada tienen que ver con la realidad colombiana ni con la naturaleza del conflicto».

«Por su mediocre trabajo en el país» —así lo describe una fuente del Comité de Relaciones Internacionales del Congreso— «MPRI recibió seis millones de dólares en el Dos Mil y posteriormente otros 4,3 millones del Plan Colombia».

Engarzando algunos antecedentes de MPRI, a comienzos de Dos Mil Uno la revista *James Inteligence Review* dijo que aunque MPRI describió su trabajo con el gobierno de Croacia en 1995 como «simples labores de escritorio», contundentes éxitos militares contra los serbio-bosnios, posteriores a su aparición en el escenario, mostraban a un Ejército muy superior que empleaba tácticas hasta ese momento no registradas.

Posteriormente, MPRI ayudó a los bosnios musulmanes a formar un ejército que hiciera frente a la maquinaria bélica de Slodoban Milosevic.

Según ONG defensoras de Derechos Humanos y algunos congresistas demócratas, lo más grave del papel de MPRI en Colombia era que no estaba sujeta a vigilancia por parte del Congreso de los Estados Unidos.

La revista *Semana* le preguntó al entonces ministro de Defensa Luis Fernando Ramírez —el presidente los cambia cada año— por qué había salido esa firma de Colombia y él respondió ruborizado:

—Incompatibilidad de caracteres.

¿Dijo incompatibilidad? O contabilidad. Para algunos, hablar de esa fracción de las aceitunas que se guardan en la bolsa los mercenarios estadounidenses fue apenas un rasguño periodístico a la contabilidad del Plan Colombia, plan de guerra elaborado en inglés, con el pretexto de la cocaína y de la guerrilla más peligrosa del mundo.

Según el documento original, secreto para los colombianos —incluyendo el Congreso—, el 85 por ciento del dinero sería invertido en la guerra y el resto en algo que llamaban «inversión social».

Sin embargo, apenas seis meses después fue traducido al español pero en una versión diferente, en la cual, «lo políticamente correcto» era equivocar. Le dijeron al país que el 85 por ciento de los dineros serían destinados a «desarrollo social» —algunos empleos pasajeros, una que otra vivienda, mucha publicidad— pero dos meses después se comprobó que el total de la inversión había sido hecha dentro de los

Estados Unidos en compra de materiales para la guerra y en pagos a sus propios mercenarios.

Gabriel Marsella, de la Escuela de Guerra del Ejército estadounidense citado por Adam Isacson, dijo luego que el *superministro* colombiano Jaime Ruiz era un genio: «Vino a Washington y con alguna ayuda del embajador de Colombia escribió el plan en sólo una semana».

La prensa colombiana le decía *superministro* a Ruiz, un amigo personal del Presidente de la República, licenciado en ingeniería en la Universidad de Kansas, casado con estadounidense y quien, según Isacson, «habla un inglés marvilloso... Y el embajador de Colombia en Washington, Luis Alberto Moreno, es otro amigo de la infancia del Presidente, y también habla un inglés perfecto porque es ciudadano de los Estados Unidos de América».

El témpano visible de la participación inicial de Estados Unidos en esta guerra son 1.300 millones de dólares, una brizna si se los compara con los millones de millones que han salido de los bolsillos del pueblo colombiano hacia las firmas estadounidenses fabricantes de los herbicidas con que han fumigado al país desde hace un cuarto de siglo.

El tipo de guerra y la participación de mercenarios en Colombia obedece a una nueva concepción estadounidense. Primero a raíz de la guerra de Vietnam surgió la doctrina de guerra de baja intensidad y en ella la estrategia andina, dirigida a Colombia, Perú, Bolivia y Ecuador, que según la Oficina de Asuntos Latinoamericanos de Washington (*Wola*), planteaba la guerra contra las drogas en estos países como pretexto para una intervención de los Estados Unidos, esta vez ya no con tropas —el saldo de bajas en Vietnam fue una catástrofe para ellos— sino a través de asesores militares. Buscaban que los nacionales de cada país se enfrentaran entre sí (*¿Peligro inminente?*, Tercer Mundo Editores, 1993).

El siguiente hito fue la guerra del golfo Pérsico, 1991, y a raíz ella, la aparición de lo que hoy se estima como la doctrina Powell: Estados Unidos solamente intervendrá con fuerza decisiva para ganar la guerra sin exponer vidas de estadounidenses. En otras palabras: los estadounidenses sólo intervendrán cuando estén seguros de ganar una guerra.

Doctrina plenamente decantada en Mogadiscio, Somalia: primera intervención de fuerzas estadounidenses bajo banderas de las Naciones Unidas. Los Estados Unidos habían decidido que la solución para implantar la democracia en aquel país era eliminar a Mohamed Farah Aidid, uno de sus caudillos, en un momento en el cual la gente moría de hambre, en aquel país sin gobierno y unos grupos con el control de la comida que les enviaban organizaciones internacionales.

Según analistas militares, allí tuvo lugar el combate más violento en la era moderna: la batalla del mar Negro, 3 de octubre de 1993, varios centenares de muertos, incluidos 18 soldados estadounidenses y un cambio brusco de posiciones, pues Washington lo consideró como un desastre militar descomunal. Los somalíes derribaron un helicóptero estadounidense con sus tripulantes y el mundo pudo ver a través de la televisión a los guerrilleros locales bailando sobre los cadáveres de los soldados y arrastrando a otros, desnudos, por las calles.

Para los Estados Unidos aquello significaba una humillación y la semana siguiente retiraron de allí a sus tropas. En ese momento, Somalia permitía la reafirmación de la doctrina Powell.

Luego vinieron Bosnia en Yugoeslavia y más tarde Kosovo.

En Bosnia intervinieron en función de un acuerdo de paz promovido por ellos: fueron negociadores estadounidenses los que hicieron el acuerdo de Bosnia-Herzegovina, la partición del país. Una vez logrado el acuerdo, entraron con fuerzas de tierra para preservarlo.

En Kosovo, 1999, pretendían derrotar a Milosevik solamente con fuerza aérea, sin arriesgar un solo soldado de tierra, para lo cual emprendieron una campaña descomunal: 78 días de bombardeos. Según historiadores militares, allí fueron arrojadas mas bombas que en Dresden al final de la segunda guerra mundial.

Sin embargo, lo de Kosovo causó malestar en los países de la OTAN y los europeos terminaron diciendo públicamente que sus soldados no eran de segunda categoría frente a los estadounidenses que no querían exponer sus tropas a la muerte mientras pretendían que ellos estuvieran en tierra.

No obstante, era la primera vez en la historia que un país se planteaba la forma de lograr objetivos políticos a través de la fuerza militar, sin sufrir bajas.

Estos antecedentes parecen interesantes en el caso de Colombia porque de acuerdo con analistas y estudiosos, si son tenidos en cuenta los problemas que han afrontado los Estados Unidos para intervenir en sitios geopolíticamente importantes para ellos, es posible entender porqué no han pensado en enviar una fuerza militar a Colombia, lo cual hoy —aun después de lo de las Torres Gemelas y el Pentágono— sería impracticable desde su punto de vista militar. Enviar a sus hombres a unas selvas como la Amazonia donde saben que pueden ser golpeados, ha sido descartado, por lo cual tratan de tener sus objetivos cumplidos a través de contratistas. Hoy políticamente no pueden arriesgar sus fuerzas.

De ahí el tema de las compañías de mercenarios y el del fortalecimiento del Ejército colombiano dentro de la Ofensiva al Sur o Plan Colombia, que significa darle capacidad a los países del área para que puedan cumplir unos objetivos que interesan a los Estados Unidos, desde luego, sin arriesgarse ellos.

Por eso el tema de la *vietnamización* de Colombia, tal como ocurrió en Vietnam resulta imposible en las condiciones actuales de la política estadounidense.

No en vano el Presidente Bush dijo el 14 de septiembre de Dos Mil Uno refiriéndose al terrorismo, dentro del cual su gobierno ha enmarcado a Colombia: «Haremos que se maten entre ellos».

Conatos de información a los que no está acostumbrada la opinión pública colombiana. Sin embargo, las últimas burbujas de aquel Alka-Seltzer democrático en torno a los mercenarios surgieron en la revista *Semana* a mediados de julio del Dos Mil Uno bajo un gran titular en la portada: «Mercenarios» y debajo de las letras mayúsculas destacadas de un extremo al otro de la hoja:

«Los gringos que fumigan en el Plan Colombia son una banda de Rambos sin Dios ni ley que incluso se han visto involucrados en un escándalo de tráfico de heroína».

La crónica comenzaba explicando que «pese a la extrema gravedad del asunto» Colombia apenas se había enterado un año después, gracias a la revelación hecha por un diario canadiense, y luego contaba la historia del documento de la DEA en torno a la heroína hallada en dos pequeñas botellas untada con aceite de avión.

«Hasta entonces aquí se conocía muy poco o nada de Dyn-Corp a pesar de que llegó al país a mediados de 1994», contaba la revista, y luego se preguntaba cómo lo había hecho:

—Llegaron con sus propios aviones y pilotos, y la Policía colombiana tuvo que prestarles sus matrículas oficiales que fueron pintadas en su aviones —dijo un oficial.

Ante el escándalo que se avecinaba por la filtración del informe del narcotest realizado en El Dorado, Janet Wineriter, de

DynCorp, señaló que el líquido que hallaron los policías eran simples muestras para certificar el estado de las turbinas de los aviones fumigadores. Y que las pruebas efectuadas por la Policía aeroportuaria fueron hechas con equipos descompuestos que habían producido una lectura incorrecta, ante lo cual el jefe de la Policía respondió:

—Si eso es así, tendrán que demostrármelo.

Después de aquella frase, el oficial guardó silencio y no quiso referirse nuevamente al caso, a pesar de su pasión por las cámaras de televisión.

Pero lo que los estadounidenses de la embajada consideraron como un exceso de libertad de expresión fue un aparte del informe según el cual ésta no era la primera vez que la firma DynCorp se veía involucrada con asuntos judiciales en Colombia, a pesar de que en algunos casos:

«... los documentos que la señalan desaparecen misteriosamente. Así ocurrió con la investigación que se adelantaba en Florencia por la muerte de uno de los funcionarios de Dyn-Corp el año pasado.

»Las primeras informaciones decían que se trataba de Michael Demmons, miembro de un equipo de DynCorp asentado en la base militar de Tres Esquinas, quien tras sufrir un ataque cardiaco fue trasladado a un hospital de la ciudad, donde falleció.

»Sin embargo, las pruebas realizadas por los médicos forenses demostraron que la causa de la muerte del estadounidense había sido una sobredosis de cocaína.

»Misteriosamente cuando la Fiscalía central se interesó por el caso y quiso ahondar en el tema, documentos como los resultados de Medicina Legal desaparecieron del despacho judicial».

Tres días después de esa crónica, última publicación sobre el caso en la prensa colombiana (fin de la efervescencia del Alka-Seltzer democrático), la embajadora de los Estados Unidos le envió una carta a la revista en la cual decía que mentían:

«Me opongo especialmente a que se hubiera puesto en tela de juicio la entereza de un miembro fallecido de Dyn-Corp. Un empleado de DynCorp murió por un ataque de corazón en Florencia. La afirmación de *Semana* referente a su muerte por una sobredosis de cocaína es mentirosa. Esta declaración sin fundamento ni una fuente atribuible por parte de la revista es un insulto al empleado y a su familia».

La embajadora tenía razón porque el mercenario no murió por sobredosis de cocaína sino de morfina y heroína a la vez.

Según el Instituto de Medicina Legal, «en la muestra de orina recibida como perteneciente al occiso Michael Demmons se detectaron morfina y codeína».

El documento oficial está firmado por la perito Constanza Moya, código 202-7, radicado el 18 de agosto del Dos Mil a las tres de la tarde bajo el número 8401.2000.RS, análisis 1159 y 1159A.

La necropsia del cadáver había sido realizada la víspera al amanecer por el doctor Néstor Forero, quien tomó muestras de orina, sangre y humor vítreo en intestinos, hígado y pulmón. Las muestras fueron enviadas al laboratorio de toxicología del Instituto de Medicina Legal en Neiva mediante una rigurosa cadena de custodia y acompañadas por el oficio 1984, 2000.08.16.

Luego de realizar la necropsia, el doctor Forero expidió un dictamen previo según el cual Michael Demmons falleció por causa de un paro cardiorrespiratorio «por posible intoxicación por causas exógenas».

En el mismo dictamen dice que Demmons presentaba rastros visibles de pinchazos con aguja hipodérmica en su brazo izquierdo.

Las muestras según los documentos oficiales, fueron analizadas con las técnicas de inmunoanálisis y cromatografía de gases NPD.

Con esa base, en Florencia el doctor Guillermo Barrios Maldonado, director de la Seccional de Medicina Legal, concluyó que «Michael Demmons falleció por *shock* cardiogénico debido a paro cardiorespiratorio por intoxicación exógena, secundario a probable sobredosis de morfina y codeína».

Un forense consultado dijo que la codeína es un analgésico potente, moderadamente narcótico, derivado del opio. Una tableta de codeina potencia cincuenta veces el acetaminofén... Y, ¡ojo! agregó: «Una vez dentro del organismo se convierte en morfina».

—El muerto era un vicioso de grandes ligas —dijo luego.

—¿Por qué?

—Hombre, porque, como se ve en los exámenes forenses, se aplicaba doble dosis. A ese tipo no le bastaba una sola: primero el pinchazo y la morfina por la vena para sentir pronto sus efectos y luego lo hacía oral: se tragaba las pepas para gozar la narcosis posterior. Es decir, para alargar la traba.

Luego viene la historia en el hospital de Florencia.

Lo que sucedió aquella madrugada del 15 de agosto lo cuentan algunos médicos, algunas enfermeras, un camillero, un portero, quienes se hallaban en aquel momento en la sección de urgencias. Todos quieren recordar y todos quieren contar, pero ninguno desea que se publique su nombre. Tienen temor.

—¿De quién?

—De los mercenarios gringos de la base militar y de los Policías que los cuidan. Todos ellos son tan peligrosos como la mafia.

El cadáver de Demmons llegó allí a las cinco de la mañana. A esa hora, sombras. Hospital solitario.

—¿Sabe una cosa? —pregunta un médico—. El asunto es que casi nadie se enteró de la llegada de ese muerto. Un par de militares o de policías colombianos, no los distinguí bien, y unos gringos de civil con pistolas a la vista lo traían de la base militar de Larandia, no de Tres Esquinas. Gente agresiva y a la vez temerosa: el tipo se les murió en el helicóptero volando entre la base y el hospital, diez minutos de camino. Una vez en Urgencias ordenaron que todo el mundo se largara de allí, y para que no quedara duda de su exigencia, uno de los gringos le quitó el seguro y luego levantó la pistola, y al verlo, los uniformados colombianos lo remedaron. ¿Armas en un hospital? Al frente solo estábamos nosotros, gente que se dedica a salvar vidas... Así son ellos.

»Bueno, pues no lo dejaron ver, no lo dejaron tocar. ¿Por qué diablos se les ocurrió cumplir con la ley y aceptaron que al cadáver le hicieran la necropsia? Hombre, porque no esperaban que se les muriera en el viaje y una vez aquí, pues resultaba muy ostensible oponerse a cumplir con un requisito tan elemental.

»Ya amanecido el día se lo llevaron. Los que lo trajeron decían que ese cadáver debía salir pronto para los Estados Unidos y luego todo el hospital supo y todo el pueblo supo que era un morfinómano, pues, porque el brazo izquierdo era un panal de cicatrices que mostraban el lugar donde se pinchaba para meterse la droga».

Luego el cadáver desapareció del país sin cumplir los requisitos mínimos que establecen las leyes. Ninguna de las autoridades que debían autorizar su inhumación o su salida de Colombia fue informada, ni se pidieron las autorizaciones de rigor, ni se dejó saber a nadie del Estado que el cadáver había sido trasladado a los Estados Unidos.

La ruta para llegar a esta pequeña historia se volvió un cuento kafkiano por tratarse de uno de los estadounidenses que achicharran desde hace veinticuatro años con herbicidas las plantas buenas y las plantas malas, los ríos y las selvas colombianas, en algo que llaman en Washington «nuestra guerra nacional». No obstante, el área de los cultivos crece en un sentido casi geométrico.

Cinco días después de la voz amenazante de la embajadora estadounidense —se llama Ann Paterson—, el fiscal general de la Nación en Bogotá hizo ingresar en su despacho a dos señoras. «Las señoras son la cúpula en este tema», explicó. Una de ellas hacía el papel de ruda. O no lo hacía. Era ruda. La cara cuadrada, los ojitos desafiantes flotando entre unos espejuelos anaranjados —eran la moda—, su piel de pergamino, las manos atenazando unas hojas de papel que temblaban con el ritmo de su agitación reprimida. Estaba a punto de salirse de casillas:

—Aquí no tenemos ningún resultado que diga positivo. No es cierto que los *americanos* de DynCorp envíen heroína a los Estados Unidos. Eso no es cierto. ¿Los periodistas y la verdad? Hay que ver lo que inventan los... periodistas —dijo, pero con la rapidez que volteó la espalda, ingresó otra señora que parecía complementar ese viejo truco de los interrogatorios a dos hierros en las películas policiacas. Su actuación se basaba en voces bajas, movimientos suaves, caras de prudencia, parlamentos breves y pausados. Tomó asiento, sonrió:

—Pasemos al segundo tema... No conozco nada sobre la muerte del *americano* en Florencia. Déjeme averiguarlo. Le informaré luego.

Luego dijo que no, que la Fiscalía no tenía conocimiento de ningún muerto, ni de ninguna necropsia. ¿Sobredosis? ¡Por favor!

En *Semana* uno de los periodistas que escribió la crónica de los mercenarios comentó mirando por encima de sus pequeños anteojos: «La embajadora de los Estados Unidos ha-

bló con uno de los jefes de sección de la revista: estaba furiosa
y, hombre, con una amabilidad forzada le recordó la visa estadounidense que su gobierno le había concedido generosa-
mente a él, y la que le habían otorgado a su padre... Con la
generosidad que se las dieron podrían cancelarlas, y algo más.
Mucho más que no quiero decirle».

Independiente del tratamiento que reciben sus ciudadanos,
Colombia está dividida en dos clases sociales: la alta, distin-
guida por la visa *americana*, como dicen ellos, y los ciudadanos
de segunda.

Tres días después en Florencia, una ciudad en la selva no
lejos de las bases estadounidenses, un fiscal subalterno de la
mujer amable dijo que sí, que realmente allí se hallaba el expediente por la muerte del mercenario, pero que él no podía
hablar del caso y se alejó con pasos nerviosos. En los pasillos
del Palacio de Justicia, los secretarios y los ayudantes y las
secretarias hablaban del caso en voz baja. Uno de ellos me
dijo que perdería el tiempo si intentaba que me dejaran mirar
el documento, pero que sí: que allí había muerto un mercenario por sobredosis.

(Apareció el muerto.)

—¿Por qué no es posible leer el expediente? Se trata de un
documento de archivo. El caso se ha cerrado ya. Es absolutamente público. Yo soy un ciudadano colombiano —dije nuevamente.

—Todo eso es cierto pero ni siquiera puede mirarlo. Es
una orden de Bogotá. El expediente lo guardan los jefes dentro de una caja fuerte en el archivo y sé que la orden es entre-
gárselo a alguien de la embajada de los Estados Unidos esta
misma semana... Cosas de Bogotá.

De acuerdo con el doctor Forero, que lo tuvo tan cerca durante la necropsia, Michael Demmons tenía cuarenta años, gordo, un metro con ochenta y cinco, el pelo castaño claro, la barba incipiente, casposa como el cabello, pero una semana después, un mercenario compañero suyo que dijo llamarse Timothy Gibson y a quien conocí en el Doctor Shivago —el bar donde se reúnen los mercenarios cuando van a Bogotá—, antes de regresar a la Florida a tomar su descanso de una semana por cada tres de guerra, me disparó un *e-mail* desde un café Internet:

«Michael —decía— era un místico que se elevaba del suelo seis pies y dos pulgadas y en el momento de marcharse, pesaba unas 230 libras. La madrugada que murió, las blancas estrellas irrumpían a través de una espesa neblina, pero aún así, el helicóptero se elevó de la base de los Estados Unidos de América en Larandia. Cuando llegamos con él a Florencia estaba muerto. El Señor sabe cómo hace sus cosas, pues me pareció que el hospital estaba manejado por salvajes ignorantes que tal vez lo hubieran transformado en un vegetal...

»Michael decidió irse a Colombia, porque, como siempre lo decía, el Señor le había dado hambre por la justicia, y realmente la "guía" fue hacia la verde y espesa selva colombiana.

»Usted me preguntó en Bogotá cómo era Michael y yo lo único que puedo decirle es que físicamente tenía un amplio pecho, abundantes cabellos castaños y una ancha frente, pero en el momento de su asunción se había convertido en un hombre tostado por el sol, con un rictus amplio y francos ojos azules, para quien Colombia significó un sendero de obediencia a la palabra de Cristo que nos envió a todos nosotros, militares y expertos *americanos*, como ovejas en medio de lobos.

»Aunque según me había dicho en Bogotá, acaso por la ansiedad en torno a tanta parábola y tanto salmo y tanta quimera empleada por Satanás, "objeto del deseo de los Gentiles", cuando el muerto tenía doce años empezó por fumarse las hojas de papel cebolla de la Santa Biblia, que utilizaba como "sábanas" para envolver la marihuana que cultivaba su amigo Bob Davis».

La comunicación de «Gibson» decía también que «la lucha de Michael en la jungla siempre hizo bullir su sangre porque sabía que se enfrentaba a las castas inferiores y sin ley que habitan ese vasto océano de verdes copas de árboles que se extiende hasta un borroso horizonte...».

—Él era un hombre rígido como su sólida mandíbula. Cuando cumplió dieciocho conoció a una tal Mary Jo. Una semana antes de casarse con ella le dijo por escrito: «De aquí a siete días habrás perdido toda tu libertad y estarás sujeta a mi férreo gobierno y a mi ley inconmovible. Tienes una semana para pensarlo». Mary Jo desapareció.

El caso de este enviado de Cristo no es él único en aquellos territorios de guerra. Un paramédico contratado por la base de Larandia a raíz de la *asunción* de Michael Demmons aquella madrugada de agosto, y quien pidió proteger su identidad *porque pueden asesinarme*, aseguró que:

—En los cuatro meses que siguieron a la muerte de Demmon atendí en la misma base, seis casos de sobredosis de heroína y de cocaína, pero los gringos argumentan otros cuadros para ocultar la narcosis, pues creen que somos ignorantes. Aun así, logré salvarlos de la muerte... Mire una cosa: se trata de ex militares que no solamente vuelan sus aviones y sus helicópteros, la mayoría de las veces drogados. Es que en estas bases, la mayoría de los mercenarios, no todos desde luego, pero sí la gran mayoría son viciosos. Viciosos y pendencieros como pocos. Ellos también participan en operativos, acompañados por policías y militares colombianos y cuando encuentran las cocinas de la droga, lo que incautan es para ellos y en eso no se meten ni la Policía ni el Ejército, que parecen sus ayudantes. Aquí todos los yanquis andan armados y les dan bala a los campesinos de la zona y los matan o los dejan malheridos y luego dicen que se trataba de narcos para justificar la droga que agarran para ellos y luego y traen a la base. Entonces, en esta selva los campesinos son los que «llevan del bulto»; mejor dicho: los que pagan los platos rotos. Uno les pregunta:

»—Dash, John, Duncan, ¿ustedes por qué matan gente inocente? Los campesinos trajinan con la hoja de coca para no morir de hambre. Ellos no son narcos —y la respuesta siempre es igual:

»—¿A ti qué te importa? Tú eres sospechoso. Tú debes ser el narco y tratas de protegerlos.

»Por este "componente social" del Plan Colombia es que el campesino pobre y jodido y muerto del hambre que tiene que sembrar coca para vivir como un miserable, cada vez se refugia más en la guerrilla, pensando que lo va a proteger de tanto asesino a sueldo».

The Guardian Weekly: «El contrato con DynCorp es un tratado de vaguedades y eso le permite a tal compañía evitar el control de autoridades de Colombia y de los Estados Unidos. El contrato también faculta a la empresa para desarrollar en territorio colombiano labores militares que van mucho más allá del simple asesoramiento y asistencia a labores de fumigación».

Para Adam Isacson, del Centro de Política Internacional de Washington, «la utilización de firmas privadas como DynCorp por parte del Pentágono puede ser una cortina de humo para camuflar operativos contrainsurgentes. Si eso ocurre, la responsabilidad del gobierno de los Estados Unidos sería menos directa: se trata de una empresa privada y si alguien llega morir habrá menos presión sobre la Casa Blanca».

David Adams y Paul de Garza del *Saint Petesburg Times*, sostienen que «la tendencia a usar contratistas privados y asesinos a sueldo para adelantar la política exterior de los Estados Unidos no es nueva».

Simultáneamente con *Semana*, a propósito de los mercenarios y el caso de la heroína de DynCorp, *El Espectador* inició una serie de crónicas.

El jueves 19 de julio del Dos Mil Uno, justamente el día que comenzaron a escucharse las voces de la embajadora, el diario encabezaba una segunda entrega con la entrevista a un piloto que había trabajado para DynCorp: «Yo fui mercenario en Colombia, porque hacía un trabajo a sueldo para librar una guerra que no es la mía». La nota terminaba con un anuncio: «Próxima entrega: los contratos de DynCorp en Colombia».

Pero la serie fue suspendida por el diario sin explicación alguna y desde luego, la crónica no fue publicada jamás, a pesar de que la embajadora había dicho en su carta:

«La declaración de trabajo de cien páginas de DynCorp se encuentra en la página en la Internet de la Embajada, así como una hoja informativa sobre los contratistas del gobierno estadounidense (incluyendo personal de la DynCorp) que trabajan en Colombia. El documento se puede consultar en: http://usembassy... »

Tres días después, *El Espectador* pareció haberse cambiado a la orilla opuesta y en una nueva serie en la que ya no hablaba de mercenarios, «término vulgar y despectivo», ni de muestras de heroína, ni de muertos por sobredosis, aseguró desde un comienzo que resultaba sospechoso que las voces de protesta contra la actuación sin control de los mercenarios estadounidenses y las fumigaciones con herbicidas sobre la selva, se escucharan en el preciso momento de la recolección de cosechas de coca y amapola.

El jueves 2 de agosto del Dos Mil Uno, en la Casa Galán de Bogotá, ante sesenta periodistas, Jerry McDernot, corresponsal de la BBC de Londres, dijo:

—Hay evidencias según las cuales el gobierno y el Ejército han prohibido parcialmente el acceso de los periodistas a las fuentes de información. Sin embargo, no he sabido de ninguno a quien le hayan vetado totalmente el ingreso a esas fuentes. Aquí la única entidad que maneja una lista negra de corresponsales y periodistas es la embajada de los Estados Unidos.

Las palabras aparecidas en *El Espectador* en su segunda ronda son las mismas de los estadounidenses y de los militares colombianos y de los policías colombianos. Filosofía enseñada por los estadounidenses y bien aprendida por los de abajo. Recuerde usted: «Al oponente antes de eliminarlo hay que deshonrarlo».

Eso mismo dijeron a raíz de la crónica de *Semana*, y unas horas después lo repitió un general del Ejército llamado Ramírez Mejía refiriéndose al defensor del Pueblo, al contralor general de la República, a algunos congresistas y a algunos periodistas independientes que habían cuestionado el peligro de la guerra química contra plantaciones de droga: «Los amigos de la delincuencia y quienes están comprometidos con esta son quienes obviamente atacan esta actividad». En Colombia, un país de generales pero donde hay más leyes que generales, los militares y los policías, además de manejar las armas, deliberan en la televisión y citan a conferencias de prensa para dictar sus propias doctrinas en desafío de lo que llaman en otros países Estado de Derecho.

Por eso mismo, en las horas de la noche declaró algo similar el jefe de la Policía —aquí le dicen *Mi General*—, pero al ver tal cantidad de cámaras ante su cara, se excitó y resolvió adornarse aún más:

—Durante los veinte años que hemos fumigado a Colombia, no se me ha enfermado ni un solo agente.

A palabra de Policía, columnista de prensa: Erana von der Walde, en un acto de valentía, le respondió en *El Tiempo*:

«El piloto del Enola Gay tampoco sufrió los efectos de la bomba que arrojó desde su avioncito el 6 de agosto de 1945 sobre Hiroshima.»

Esfuerzos solitarios y estériles por que en Colombia se permita algún día debatir las ideas. Somos una sociedad en la cual nadie se atreve a cuestionar, a discutir, a intercambiar puntos de vista porque si lo hace, es agredido. En ese silenciar por cualquier vía a quien piensa distinto, son exactamente iguales los paramilitares, los militares, los guerrilleros y los policías. En nuestra historia nunca hemos tenido la posibilidad de resolver nuestros propios problemas por las vías de la civilización.

El paramédico:
—En la base de Larandia, los gringos acumulan la droga que agarran en cada operativo en la selva, y la guardan en la primera casa de la Plaza de Armas, frente al antiguo Comando de Larandia. Me dicen que lo mismo sucede en la base de Tres Esquinas. Lo que sucede en una, sucede en la otra. Aquí en Larandia ellos tienen libre acceso a esa casa que es de ellos, y desde luego, no tienen ninguna supervisión ni del Ejército ni de la Policía antinarcóticos de Colombia. ¿Cómo la van a

tener si son sus subalternos? Uno le pregunta al comandante de la Policía, al comandante del Ejército, por qué no entran a esa casa y tratan de investigar qué hacen los gringos con tanta droga almacenada, y ellos responden: «No podemos por aquello de la diplomacia; las leyes internacionales nos lo prohíben».

»Los gringos hacen lo que quieren con la droga: sacan de aquí la que no se inyectan o no se meten entre las narices, se la llevan en sus aviones. En Colombia nadie los controla. Y si usted se lo dice más de una vez a la Policía o al Ejército va a tener problemas muy graves: que yo sepa, en las bases de Larandia y Tres Esquinas los gringos, los militares y los policías colombianos impusieron la ley del silencio... Como en cualquier cárcel del mundo.

»Desde luego, en la Policía y en el Ejército de pronto uno en encuentra algún oficial con dignidad que podría contar cientos de historias como ésta. Hay que buscarlo».

Un coronel de la Policía le confesó a la revista *Semana*:

«Ninguna autoridad, llámese Aeronáutica, Aduana, Impuestos, Policía o Ejército está autorizada para revisar las aeronaves de DynCorp que vuelan en Colombia. La NAS, una dependencia en la embajada de los Estados Unidos en Bogotá es la que decide qué aviones ingresan al país y cuáles salen para su revisión a las bases aéreas en Estados Unidos. Nadie sabe qué llevan en sus aviones, porque ellos son intocables».

Y otro oficial le dijo a la misma publicación:

«Los pilotos de DynCorp son mercenarios a sueldo. Gente difícil de manejar, la mayoría altos consumidores de droga. Muchos se inyectan, otros se la suerben por la nariz antes de volar. Algunos de nuestros oficiales han tenido enfrentamientos abiertos con esos mercenarios porque aquellos no respetan la disciplina en las bases militares y nuestros oficiales no aceptan que esos hombres, por más experimentados que

sean en el campo de la guerra, estén consumiendo droga dentro de las instalaciones militares y policiales».

En febrero de 1999 el director de Estupefacientes calculó
que en Colombia participaban en diferentes actividades de la
guerra 2.500 mercenarios estadounidenses y en el Dos Mil
Uno su sucesor prefirió guardar silencio.

—Es necesario consultar con la Policía Antinarcóticos
—se limitó a decir.

En la Policía Antinarcóticos un oficial señaló:

—Esa información hay que pedírsela a la embajada *americana.*

Y luego:

—La embajada dice que son 188.

Al dejar su cargo, el segundo ministro de Defensa había
hablado de 800, pero cuando le preguntaron al siguiente, guardó silencio.

En el Dos Mil Uno el abogado Adalberto Carvajal, ciñén-
dose a las leyes, realizó una petición a treinta entidades del
Estado Colombiano en la cual les preguntaba cuántos mercenarios y cuántos asesores militares estadounidenses había en
el país, qué legislación cumplían, quién los controlaba. En la
lista estaban desde el Ministerio de Defensa Nacional y la
Dirección de Impuestos, hasta el Ministerio de Trabajo. Ninguno supo responder lo que se planteaba en el Derecho de
Petición, lo que indica que ninguna autoridad sabe con exac-
titud qué hacen los estadounidenses en el país.

Por ejemplo, en lo laboral, para burlar los controles locales, inicialmente DynCorp contrataba pilotos por intermedio
de una empresa de servicios temporales en Bogotá, llamada
Manpower de Colombia.

En junio de 1999 se accidentó un avión fumigador y murió el piloto colombiano. Cuando la familia intentó cobrar en la Policía el seguro de vida, se lo negaron: «Él sabía que este trabajo es peligroso, así lo aceptó», le respondieron. Sobre los pilotos extranjeros, la misma Policía dice que como son pagados con dineros estadounidenses, el gobierno colombiano no puede intervenir, ni puede controlarlos.

Según Human Rights Watch:
«Las leyes de Estados Unidos disponían el despliegue en Colombia de un máximo de 500 efectivos estadounidenses y 300 personas contratadas en cualquier momento, salvo en caso de emergencia. Pero como reflejo de la tendencia mundial a subcontratar la guerra, algunos analistas estiman que un millar de particulares estadounidenses salidos de las Fuerzas Especiales, del Pentágono y de la CIA estaban presentes en Colombia a mediados de 2001 trabajando para empresas civiles estadounidenses, contratadas por los Departamentos de Estado y Defensa».

Entre tanto, como lo ha sostenido varias veces ante el congreso de Estados Unidos Janice Schakowski, del partido demócrata, «Las compañías contratistas de la guerra y sus funcionarios tienen un interés creado en prolongar y profundizar la injerencia de los Estados Unidos en Colombia. Tal vez se arriesguen, pero también están ganando mucho dinero».

Lo que el cielo no perdona

Cuando ella hablaba de matanzas y atropellos a la gente inerme, nombró a Dabeiba y luego a Tarazá, a Peque, y yo le dije:

—No puede ser.

—¿Por qué?

—Porque cuando tenía quince años, justamente por aquellos lugares comencé a conocer la geografía colombiana a través de las historias de matanzas y atropellos a la gente inerme de este país. Primero fueron Dabeiba, Tarazá y Peque. Luego escuché nombrar a Urrao, Chigorodó, Urama, Uramita, Urabá, tantos nombres de regiones, aldeas y poblaciones ensangrentadas, lejanas, muy lejanas, y me convertí en un buen alumno en las clases de geografía.

Un poco antes, el terror había comenzado a cambiar mi lenguaje. Fue algo que en Colombia llamamos «El Nueve de Abril», muerte de un líder popular y una revuelta con la cual se inició este último hito de terror, en un país que sufre la endemia de la violencia. Aquellas noches, escuchando la radio oía decir, emisora *clandestina* y luego *atentado, saqueo, chusma, francotirador...* Tres años después fue cuando inicié el curso intenso de geografía. Dabeiba, Peque, Tarazá, Ituango, Urama y Uramita figuraban en *Lo que el cielo no perdona*, un libro testimonio sobre la violencia de la época, escrito por el sacerdote Fidel Blandón Berrío, quien utilizó el seudónimo de Ernesto León Herrera para salvar su vida y protegerse de la calumnia, como lo reveló más tarde. Aquella violencia era tal que el gobierno trajo de España a veteranos de la guerra civil que quisieron implantar *el garrote vil* para quebrarle el cuello a la gente, pero fracasaron porque sus alumnos se negaron a sustituir *el corte de franela*.

Lo que el cielo no perdona también me cambió la fantasía: me despedí de Perrault y *Barba Azul*, de *Simbad el Marino*, las fábulas de Esopo, *Robinson Crusoe*, Carlos Dickens y *Oliver Twist*, Kipling y *El Libro de la selva virgen*, Jack London: *La llamada de la selva*, Walter Scott: *Ivanohe*, Saint Exuperi, los hermanos Grimm.

En los campos cercanos a mi pueblo vi cómo se transformaba la arquitectura. Allí, las casas ahora no tenían ventanas sino agujeros estrechos y alargados en las cocinas para que saliera el humo.

Y cambió la relación de las parejas. Quienes permanecían en sus casas dejaron de sentirse: los hombres dormían con sus hijos en las habitaciones del frente. La mujer y sus hijas en las del fondo.

A partir de allí quise saber qué sucedía en el resto de mi país y comencé a buscar libros que mostraran la situación, y en las bibliotecas de la familia, en las de los amigos de la familia, en la de mi maestra, fui hallando una literatura local de último momento hecha con terror. Eran testimonios, la mayoría escritos por unos pocos sacerdotes, críticos de una Iglesia que encabezaba las matanzas de quienes no pensaban igual al gobierno: *Cristianismo sin alma, Viento seco, Tierra sin Dios, Sin tierra para morir, Siervo sin tierra, Los días del terror, La palabra encadenada, Horizontes cerrados, El Cristo de espaldas,* de Eduardo Caballero Calderón. En ellos surgieron las figuras del policía *chulavita* —un asesino titulado—, *bandolero* —aquel que pensara distinto de los del gobierno o que tratara de defender su vida ante los victimarios dirigidos por el gobierno—, *desmembrar, aplanchar, entierro de florero, pájaros azules,* toda una actitud que se reproduce hoy, precisamente a partir de aquellas regiones cuyos nombres conocí en *Lo que el cielo no perdona* y por lo cual siento que continúo ante una cultura del terror que ha permanecido inmóvil en el alma de las generaciones de los violentos, que son a su vez, una mínima parte del pueblo colombiano.

En Dabeiba hoy dijo un labriego:
—A orillas del río, una madrugada hombres de sombrero grande, vestidos de militar y armas largas, nos hicieron formar una línea frente a ellos y nos dijeron que debíamos entregar dos días para sembrar esa porquería que se ve como un jardín.

Mensaje cifrado por el miedo: los paramilitares, hombres de sombrero grande, están obligando a la gente a trabajar sin sueldo en los cultivos de amapola.

En Colombia ahora es posible entender una parte de la lucha entre la guerrilla y sus enemigos, los paramilitares, si se la identifica con el control de la producción y el mercadeo de droga.

Tarazá. Hoy. Un maestro de escuela acepta hablar:

—En un punto del municipio llamado La Caucana hay cultivos de coca, y un buen comercio de pasta de coca. El lugar es territorio controlado por los paramilitares, dueños de tierras en las que la cultivan. Por otro lado, los paramilitares les dan insumos a los labriegos para que ellos la siembren. Desde luego, los paras controlan la venta de insumos agrícolas y así aseguran el monopolio. Si el labriego les vende a otros la base que produce, le aplican la pena de muerte.

Al lado del maestro ahora hay un grupo de personas que quieren contar cosas. Comprenden que al hablar descargan parte del terror:

«Un día llegaron al lugar las avionetas de los Estados Unidos y fumigaron, pero también quemaron el bosque y quemaron los cultivos de comida y nos quedamos sin comida y sin agua porque vimos que también fumigaban sobre el río. Cuando se fueron los aviones de los gringos, vino la guerrilla. Pero, antes de llegar al casco urbano, la guerrilla le dio muerte silenciosa a mucha gente para que los balazos no delataran su paso. Les gusta a ellos la muerte silenciosa. Les gusta la sangre. ¿Cómo es la muerte silenciosa? Con cuchillos: *el corte de franela* para que caiga la cabeza. La gente pensó que eran los paramilitares. Un borracho auxiliador de los paramilitares, mejor dicho, el viejo Matías Giraldo, vio una columna de hombres descendiendo por diferentes sendas, creyó que eran de los suyos y partió a su encuentro: "Muchachos, vengo a apoyarlos para que ataquemos a estos terroristas". Primero *lo aplancharon.* ¿Cómo es aplanchar? Pues molerlo a garrotazos. Después el viejo Matías se quedó sin cabeza: *corte de franela*».

La entrada de la guerrilla fue silenciosa y cuando los paramilitares se dieron cuenta, la guerrilla ya estaba adentro. La guerrilla llegó con una información muy precisa porque días antes había mandado a un grupo de lustrabotas y de prostitutas que hicieron un trabajo de inteligencia y por eso cuando ingresaron, ellos sabían quiénes eran los que estaban manejando el mercado de la droga, quienes eran los paramilitares, donde se ubicaban, y empezaron a atacar. Los paramilitares se refugiaron en casas de gente inerme. Los que estaban uniformados se vistieron de civiles y como la guerrilla empezó a ver civiles, empezaron a matar a cuanto civil se movía y después a incendiar casas con la gente adentro.

Peque está en el fondo de un hueco formado por montañas. Municipio muy alejado. Se llega allí por un camino angosto que parte de la Vía al Mar, carretera que se desprende de Uramita.

De Peque van por camino de herradura —senda para mulas— hasta Dabeiba. En Peque la gente habla de la Violencia de los años cincuenta y de la de ahora. En una vereda una anciana llora:

—Llevo toda una vida corriendo y estoy cansada de correr.

A Peque se la tomaron los paramilitares un 4 de julio, pero tal vez ocho, tal vez diez días antes, la gente vio que más allá de las montañas, sobre otras montañas, aterrizaron helicópteros y de los helicópteros que iban y venían, descendían muchos hombres, muchos hombres. Los paramilitares tenían la idea de avanzar de Peque a Ituango, una zona dominada por la guerrilla. Entre una población y otra hay varios días, andando por caminos de herradura.

Aquélla es un área estratégica para guerrilleros y paramilitares. Dabeiba, por ejemplo, es puerta de entrada a un mundo de riqueza llamado Urabá por donde fluyen armas para todos los violentos y es negociado todo lo lícito y lo ilícito. Urabá está sobre el Caribe, limita con Panamá, zona estratégica en América, y también es vecino de La Florida, posee las mejores tierras del país, posee petróleo, oro, platino.

Todo aquello, Peque, Dabeiba, Tarazá son zonas importantes por los cultivos de alimentos, coca y amapola, que se disputan mafiosos, guerrilleros y paramilitares.

Peque era zona de guerrilla. Poblado sin Policía ni Ejército desde hacía tres años. La víspera de arribar los paramilitares, un grupo de guerrilleros irrumpió en el poblado y saqueó tiendas, depósitos de comida, almacenes y luego le dijeron a la gente que venía un grupo grande «de los que combaten caminando», o sea una fuerza de choque paramilitar, y que ellos no estaban en condiciones de enfrentarlos.

—Piensen qué hacer —les dijo el que mandaba.

Muchos que se sentían en peligro, porque habían colaborado, voluntariamente o no, se fueron detrás de la guerrilla. Otros pensaron en esconderse en los bosques.

Una vez salió de allí la guerrilla, la gente se dedicó a mirar hacia arriba en busca de los paramilitares y al día siguiente, el 4 luego del mediodía, empezaron a ver puntos negros que bajaban de lo alto de las montañas y comenzaron a correr: «Son los paras».

Cuando llegaron los primeros, les pidieron a los pobladores que se reunieran y frente a unos pocos labriegos aterrorizados, uno de ellos reconocido por la gente como un capitán del Ejército que acababa de pasarse a las filas paramilitares (Capitán Veneno, le pusieron los viejos como recuerdo de un Policía *chulavita* de la Violencia de los años cincuenta), les dijo:

—Yo y la tropa nos hemos reído mucho de ustedes, *bandoleros* hijueputas: nosotros bajando y mirándolos con nuestros lentes binoculares, y ustedes tratando de esconderse como ratas. ¿Dónde se iban a esconder si desde allá los teníamos ubicados a todos, solos, sin protección...? ¿Pero cuál protección? ¿Dónde está la fuerza pública protegiéndolos a ustedes? Es que aquí todo el mundo miente, éste es un Estado de mentiras. ¿Cuánto hace que ustedes están aquí y en poder de quién?

Luego les ordenó que huyeran hacia el casco urbano del poblado y de allí continuaran hacia Dabeiba, porque el poblado y sus alrededores serían zona de combate y les dieron dos razones por las cuales debían marcharse: una, habría guerra. Dos: ellos eran colaboradores de la guerrilla y como la guerrilla tiene su asiento en Dabeiba debían irse para allá.

—Pero se van ahora mismo. No los queremos en ninguna otra parte —repitió el Capitán Veneno.

Total, los labriegos comenzaron a salir de allí, pero sus intenciones no eran las de abandonar su tierra. Creían poder jugar a lo que habían jugado hacía medio siglo cuando la población evacuó los cascos urbanos y se metió en los bosques —aquí les dicen *el monte*— porque temiendo emboscadas, hasta allá no los perseguían la Policía *chulavita* ni *los pájaros azules*, que eran los paramilitares de aquel momento.

Lo cierto es que intentaron varias veces la jugada pero les falló la táctica y ellos daban vueltas y más vueltas tratando de evadir a los paramilitares, pero no lograron burlarlos.

La anciana dice ahora:

—Cuando nos dieron la orden de huir, nosotros tratamos de meternos dentro del monte como lo hicimos en *la época de la Violencia* pero ahora era caso perdido. Llegábamos al bosque y diez pasos adentro nos salían los de los sombreros grandes con el arma apuntándonos a la nariz y nosotros teníamos que dar la espalda y seguir corriendo más hacia adentro, pero allá aparecían ellos nuevamente y nos decían:

«Es hacia el casco urbano del municipio adonde deben huir. No insistan más. ¿Por qué quieren quedarse aquí en el monte? No. Les estamos diciendo que deben desplazarse al casco urbano y desde allí deben continuar a Dabeiba porque ésta va a ser una zona de combate; no queremos que nadie esté en Peque».

Una vez creyeron haber controlado a los labriegos, los paras marcharon hacia el poblado y allí reunieron a una multitud:

—¿Dónde está el alcalde? —preguntó el Capitán Veneno.

—No está aquí.

—¿Y dónde está el cura?

—Tampoco se encuentra.

—Ésta es Colombia y esto son ustedes: un pueblo abandonado. ¿Quién responde por ustedes? Nadie.

Buena parte de los alcaldes de estas zonas sufren de terror y quieren gobernar desde las capitales de sus departamentos —otra tristeza de Colombia— por lo cual inventan cada semana gestiones administrativas ante sus gobernadores y se van.

No obstante, el cura, enterado de la situación dio marcha atrás y apareció en la pequeña plaza del poblado y se colocó al frente de sus parroquianos.

En ese momento, Roberto Mira, el personero municipal, tomó las riendas de los suyos: «No sé cómo me armé de valor, pero con algunos de los elementos con los que he trabajado en talleres de la Defensoría del Pueblo sobre interlocución, y con el dolor de un pueblo huérfano, di un paso adelante».

—Yo soy Roberto Mira, el personero. Yo hablo por esta comunidad. ¿Qué es lo que ustedes quieren? Sentémonos, dialoguemos, yo asumo la autoridad ante la ausencia del alcalde —dijo.

—¿Cómo vamos a dialogar? —preguntó Veneno.

—Conformemos una comisión —propuso Roberto Mira.

Ante su actitud, otros dieron pasos adelante: dos maestras, el jefe de planeación del municipio, el secretario de gobierno, un maestro y el cura formaron la comisión de diálogo.

Pero mientras la gente hablaba, las tropas del Capitán Veneno saqueaban tiendas y casas, se comían lo que hallaban, lanzaban lo que no se comían y eructaban, destruían cuanto objeto tenían a la mano, sacaban de las tiendas los víveres, la comida, los lanzaban a la calle y le decían a la gente: «Coman, perros *bandoleros*». A quienes llevaban anillos, adornos personales, joyitas, se las quitaban. Luego regresaron a las tiendas y tomaron el dinero que se le escapó a la guerrilla. A pesar de ser tan aislado, el pueblo tenía una buena dinámica de comercio.

En la plaza avanzaba el diálogo. La gente trataba de negociar: ¿por qué querían hacerlos huir? Eran diez mil seres en el poblado y los campos, y la cosecha de judías —aquí les decimos fríjoles— estaba a punto de ser recogida. ¿Cómo pretendían que lo perdiesen todo? Si la guerra es contra la guerrilla, pues háganla contra la guerrilla. Somos una población totalmente desprotegida, como ustedes mismos lo han dicho. Aquí no hay Policía desde hace más de tres años. Aquí manda quien tiene las armas. No es que nosotros colaboremos voluntariamente, pero si la guerrilla llegó anoche aquí y saqueó las tiendas y los comercios como lo están haciendo ustedes, ¿qué podemos hacer nosotros, gente inerme?

Pidieron que les respetaran la vida y el Capitán Veneno dijo que lo prometía, pero luego aclaró:

—Mataremos a quienes sean guerrilleros.

Como siempre, ellos llegaron con una persona del lugar y esa persona señaló a dos hombres como amigos de la guerrilla.

Días después, los hallaron dentro de huecos redondos y estrechos, embutidos de cabeza, los ojos vendados. Uno de ellos tenía una mueca de terror impresionante: a los lados del tronco emergían los brazos y las piernas desmembradas: *entierro de florero*.

Finalmente Roberto Mira, el párroco y las maestras lograron que le perdonaran la vida a la gente pero no consiguieron detener la marcha hasta Dabeiba población muy distante, caminos difíciles, esperanza lejana de retorno.

Veneno reclutó a varios jóvenes, quince, dieciséis años, y les ordenó a los demás reunir el ganado de los campos cercanos. Regresaron con mil cabezas, todo cuanto ellos poseían. La orden era que los jóvenes marcharan al frente con el ganado, en previsión de campos minados.

Y comenzó la marcha de labriegos y paramilitares, pero a un día de camino aparecieron los guerrilleros, se trenzó un combate y los paramilitares debieron retroceder. Murieron varios jóvenes y muchos paramilitares, a quienes después los labriegos les dieron sepultura, puesto que las autoridades no fueron al lugar a practicar el levantamiento de los cadáveres. «¿Qué sucedió?», preguntó un gobernador y el fiscal respondió que el Ejército no le había prestado apoyo a su gente para que pudiera entrar a la región.

Por los campos deambulaban mil cabezas de ganado a disposición de guerrilleros y paramilitares.

En otros lugares, organizaciones civiles pedían presencia de Ejército o de Policía en la zona, o de alguien del gobierno del departamento, o de alguien del gobierno nacional, o de alguien del Comité de Paz, o de alguien de algo llamado Notables por la Paz, pero nadie respondió.

En Peque la gente trataba de resistirse ante el intento de un nuevo desplazamiento y se quedó allí. Pero concentrar a seis mil labriegos en una aldea y asegurar para ellos consumos de agua, depósitos de excretas, comida, techo, no es sencillo, a menos que alguien tenga la terquedad de Roberto Mira, del párroco y de las maestras de las escuelas.

Cuando finalmente se fueron los paramilitares, la gente comenzó a gritar: «Ejército, Ejército» y el gobernador de la zona a solicitar lo mismo, pero el Ejército respondía que aún no podía ir: presentían una emboscada, y la Policía... Oh, la Policía: «Si no va el Ejército nosotros no nos moveremos de nuestros cuarteles», decía el jefe. Y el Ejército: «No tenemos convenios para proteger a la Policía».

Unos y otros discutían a través de conferencias de prensa y los medios utilizaban el pugilato para vender más diarios, para aumentar su sintonía, para vender más propaganda. Al fin y al cabo se hallaban ante la mejor broma de la historia: ¿a quién correspondía «garantizar la vida, honra y bienes» de esos colombianos, como lo decía la Constitución Nacional?

Pero mientras esperaban que apareciera la Policía y detrás de ella el Ejército protegiéndola, quien regresó fue la guerrilla. Primero bajaron de las montañas cinco de ellos encabezados por el jefe, por lo cual la gente entendió que una vez más se hallaba rodeada por los mismos que entraron primero, saquearon robaron, *aplancharon*, es decir, apalearon y ahora decían que venían a dar un parte de victoria.

«¿Victoria?», se preguntaron Roberto Mira, el párroco y las maestras. «¿Cuál victoria si éstos huyeron y quienes se enfrentaron a los paras fueron los de un grupo diferente de la misma guerrilla?».

—Hemos combatido en forma encarnizada con los paracos y aquí estamos para garantizarles la seguridad que no les garantiza el Estado —dijo el que mandaba en los demás.

Nuevamente los labriegos frente a ellos formando una línea y nuevamente el guerrillero:

—Que den un paso adelante el personero municipal, el cura y las putas maestras. ¿Para qué están pidiendo Ejército y Policía si este territorio es nuestro?

Roberto Mira respondió:

—Nosotros somos instituciones del Estado. Yo me muevo en el marco de un Estado social de derecho donde hay unas instituciones que debemos proteger y por eso pido la presencia de Ejército o Policía. Según me he enterado esta mañana, por fin llegarán treinta policías, pero si ustedes que son quinientos se van a enfrentar contra treinta, tendríamos que entrar a evaluar muchas cosas como su valentía y su moral, pues ellos van a cumplir una labor civil.

Silencio.

Antes del anochecer los guerrilleros se marcharon y después de haberse marchado aparecieron la Policía, y el Ejército protegiendo a la Policía.

En mis años de vida, creo que ésta es una de las veces contadas, uno de los escasos momentos históricos en los cuales triunfa el diálogo en Colombia.

Bueno, decir triunfar es generoso porque unos días después la cosecha de fríjol y la de café se hallaban almacenadas, puesto que tanto los paramilitares como la guerrilla habían decretado un bloqueo económico a la zona.

La guerrilla estableció un puesto de control en una de las vías que comunican la región con el resto del país, en el cual secuestraban camiones, secuestraban autobuses con sus pasajeros, porque, decían ellos, los dueños de los buses y los de los camiones se negaban a pagarles un impuesto que ellos llaman «vacuna»: si pagas no te destruimos los vehículos.

Y en la segunda vía, los paramilitares establecieron otro puesto de control que impedía el tránsito:

—Una vez que el Ejército expulse a la guerrilla de sus posiciones, nosotros nos marcharemos. Pero que el Ejército cumpla con su deber y recupere aquella carretera —decían los paramilitares.

Cuando fui a la zona, unas ciento veinte mil personas de Dabeiba, Peque, Urama, Uramita, Ituango, aquella geografía que había conocido a través de *Lo que el cielo no perdona*, cumplían cinco meses aisladas del resto del país viendo cómo los insectos se comían la cosecha anual.

Dos semanas más tarde, el ministro de Agricultura le anunció al país en un especial de televisión:

—Ante la sequía que azota a nuestros campos, el gobierno nacional ha tomado la determinación de importar otras diez mil toneladas de alimentos.

El Caribe colombiano, históricamente, fue un sitio de paz hasta cuando hace apenas una década comenzaron a llegar los de Dabeiba y los de Urama y los de mil lugares en las montañas que se elevan al Sur.

En Carmen de Bolívar, ciudad caribeña, alguien se comunicó con una reportera y le habló de una matanza en El Salao, aldea de aquel municipio.

La reportera se lo contó a otra reportera tan joven como ella y ambas buscaron comunicación con cuantas autoridades había en el lugar: Infantería de Marina, Policía, Fiscalía. Todos dijeron que no era sí.

Quien estaba al mando de la Brigada de Infantería de Marina —desde donde se maneja una fracción de lo que en Colombia llaman *orden público*—, era el tercero del segundo del cuarto comandante. Dijo que los jefes no se encontraban. Al parecer habían desaparecido de sus puestos aquel día.

El tercero del segundo del cuarto comandante insistió:

—Eso no es verdad, no está sucediendo nada, en esa zona se respira completa tranquilidad.

Como Diana, Rosario es una mujer terca, es decir, buena reportera:

—No les creo. Vamos para El Salao —le dijo a Diana.

El Salao queda montaña adentro, en una zona de guerra llamada Montes de María.

—Vamos pal Salao —insistió Rosario.

—Bueno, vamos pal Salao.

Se fueron para El Salao.

Ese 16 de febrero del año Dos Mil, en un punto de la carretera se desviaron y comenzaron a subir por un camino estrecho. Cuando habían avanzado unos 35 minutos, se encontraron con tropas de la Infantería de Marina:

—Atrás... ¡Atrás! —gritó el que mandaba.

—¿Por qué?

—Estamos persiguiendo a un grupo de narcoguerrilleros que se halla en esa zona, ustedes no pueden cruzar.

Luego de pensarlo, dijo otro:

—Bien. Continúen la marcha pero bajo su responsabilidad.

Continuaron y cuando estaban a tres vueltas de El Salao aparecieron más hombres, barbudos, el pelo largo, uniformes húmedos por el sudor. Dijeron que eran tropas de contraguerrilla. El que mandaba, gritó:

—No pueden continuar. Personal de reporteras... Devolverse, ¡carrera, arrr!

El día 17 Rosario regresó acompañada por un enjambre de periodistas. Ahora la matanza era asunto sabido en toda la región, pero los infantes tampoco los dejaron cruzar.

Regresaron el día 18 y esta vez se encontraron frente a frente con una muchedumbre que huía de El Salao. Traían un llanto ahogado, silencioso. (Qué capacidad de sufrimiento tiene el pueblo colombiano.) Los reporteros confirmaron con quienes huían que la matanza había sido cometida por los paramilitares los días 15, 16 y 17 de febrero. Tres días de sangre.

—¿Quién era el jefe de los asesinos? —preguntó Rosario.

—Lo llaman Capitán Veneno. Vino de las montañas —respondieron.

Antes de aquello, los asesinos habían hecho «el camino de la muerte» que terminaba justo allí: luego de regresar el primer día, al anochecer Rosario y Diana tomaron un mapa y ubicaron con cruces los lugares que correspondían a las noticias que daba la radio. Alguien había comenzado a sacrificar gente, de a uno, de a dos, aldea por aldea y el rastro terminaba en El Salao, señalado por los paramilitares como el principal auxiliador de la guerrilla en aquella región que, ya lo he dicho, se llama Montes de María.

El tercero del segundo del cuarto comandante explicó después que también había advertido en su mapa el camino de la muerte y que una vez lo vio, mandó tropa a proteger El Carmen, la cabecera municipal. Eso quería decir que por un error táctico, por algo que él debe explicar, había colocado a la tropa de espaldas a El Salao.

Aún así, el enjambre de reporteros que finalmente logró cruzar por allí dijo que los días anteriores había visto cómo el camino estaba bloqueado por tanta tropa que bien hubiese podido llegar hasta allá y evitar la matanza.

El Salao parece un pesebre de Navidad. Parece un nacimiento: frente a la iglesia hay una explanada, pequeñas casas alrededor, un campo verde, árboles florecidos.

Los paramilitares rodearon el lugar, a unos treinta pasos de ellos hicieron una línea de hombres y de mujeres. Los niños al lado de sus padres. El Capitán Veneno hizo llevar mesas de los comedores de algunas casas y un conjunto con ropa de camuflaje empezó a tocar tambores y flautas de millo: unos colocaban a la gente sobre las mesas y allí la desmembraban, y mientras la desmembraban, otros cantaban y bailaban al ritmo de los tambores.

Muchos huyeron y muchos cayeron. Los muertos fueron más de cien: tres días de tambores y cuchillos.

Las periodistas habían llegado a los alrededores el primer día de matanza y regresaron el segundo día, pero no las dejaron cruzar.

El tercero lograron acercarse al sitio y empezaron a escuchar historias: uno de los moribundos desarmó a su victimario y lo hirió en un brazo. Al victimario lo sacaron pronto de allí en helicóptero.

Los sobrevivientes, viudas, viudos y niños huérfanos huyeron finalmente y se hacinaron en El Carmen de Bolívar, la cabecera municipal. Una señora llegó con su lora. La lora reproducía constantemente sonidos de aquellos días:

—Ta, ta, ta, cápelo, mi capitán. Cápelo, mi capitán.

—Ta,ta, ta... No me mate, no me mate.

—Ta,ta,ta... Cápelo...

Al atardecer alguien penetró al refugio y degolló a la lora.

Hay un mañana

Cuando la dinamita desfiguró una de sus esculturas monumentales, Fernando Botero pidió que la dejaran allí como testimonio de la estupidez. Cinco años más tarde, en el Dos Mil, colocó otra a su lado: *Colombia son dos mundos: un cuerpo inmenso poblado por gente maravillosa, y un apéndice de terror. Quiero mostrar las dos caras de mi país*, dijo entonces.

Ahora es mayo y llueve. Frente al museo, una fila de niños se confunde con los pliegues de los edificios tres calles atrás, pero ellos se olvidan del aguacero porque luego les permitirán entrar «al mundo pictórico» con que Botero comenzó a soñar hace tres décadas.

Más allá, en un parque, frente al pájaro desfigurado se posó sobre el prado una paloma de dos toneladas, la de la paz. Ésa llegó primero. Luego, buques y aviones trajeron a la cima de las montañas cuadros de gran formato y después muchas esculturas, toneladas de bronce, volúmenes, expresiones mestizas. Una exposición errante que finalmente encontró el lugar de sus raíces.

La donación de Botero es la más importante de América Latina. Toda donada, toda realizada o comprada por él. Esa es parte de su importancia. Son cuadros del artista y esculturas monumentales, pero, además, una colección de pintores de otros lugares del mundo, reflejo de la evolución del arte desde 1860: impresionismo, cubismo, surrealismo, arte abstracto, pintura figurativa, expresionismo. Visión panorámica del arte en los últimos ciento cincuneta años.

La tarde que llovía, ochocientas mil personas habían visitado los museos en que se halla la donación. Ochocientas mil personas en siete meses, en un país con guerrilleros y paramilitares y cuerpos armados del Estado y explosiones y gente que lleva la muerte en brazos, es cierto, pero primero mira hacia el mañana. El arte es el mañana.

La donación de Botero se halla en Medellín y Bogotá. Botero nació en Medellín, capital de un departamento llamado Antioquia, con poblados denominados Jericó, Angelópolis, Betania, Mesopotamia. Vírgenes, arcángeles, obispos y monjas en su pintura.

Antioquia es un universo con plantaciones de café en la cima de Los Andes: centenares de miles de hectáreas de colinas de un verde luminoso. El cromatismo de su pintura. La caricaturización amorosa del paisaje.

En su obra juegan los elementos de las cosas que veía de niño y los de la pintura renacentista. Él lleva el peso de la tradición pictórica del Renacimiento, ama a Piero della Francesca, a Luca Signoreli, a los Bellini, a Mantegna.

Cuando voy a la Galería Nacional de Londres veo dos cuadros: la oración de Cristo de Mantegna y la del Cristo de Bellini, dos visiones distintas de una misma escena.

Parte de la fuerza de su pintura es la temática profundamente antioqueña. Pinta a su hermano descalzo con una bolsa de cuero colgando del hombro, igual que los campesinos de Antioquia cuando él era niño. En sus cuadros están las casas de la primera mitad del siglo: techos de teja cocida, balcones con macetas colgantes y más macetas emergiendo de los muros; patios interiores, corredores con geranios florecidos. Y la ropa de la gente de Antioquia: el niño vestido de marinero con zapatos negros de charol, los generales, los burgueses, las prostitutas, los borrachos, los vecinos, agotan la esencia de su tipismo *demodé*. Figuras humanas de gente del campo y también de la clase media de provincia. Una cultura homogénea, espiritualmente bien conformada. Y naturalezas muertas: un jarrón blanco de metal, frutas tropicales, platos de cerámica popular, manteles bordados en Antioquia, un gato de loza con moño rojo, y una larga faena que lidia su pasión por la fiesta brava. En su temática hay una elaboración rotunda de las manifestaciones del mundo en que nació.

Una tarde el príncipe Rainiero le dijo:

—Vengase a Montecarlo, tengo un interés particular en que usted viva aquí... Hay un estudio frente a la bahía. Quédese aquí. Se lo cedo por el resto de su vida.

Un poco después, la ópera de Montecarlo estrenó una producción de *La hija del regimiento*, de Donisetti. Le pidieron que diseñara la escenografía y el vestuario, y él dibujó escenas campesinas de Antioquia: pequeñas plazas cuadradas con sus iglesias, casas blancas con balcones y macetas florecidas, como en Mesopotamia o Angelópolis.

El vestuario era similar al de la galería humana de sus cuadros: músicos regordetes tocando bombardinos, hombres vestidos como los domingos en Jericó: la camisa blanca y una corbatita azul o roja; o el cuello abotonado, un cuello planchado con almidón, símbolo de respeto. Y de dignidad.

Lo que yo hago es una manifestación íntima, personal, que viene de mi pasado, de lo que amo, de lo que he vivido... Lo veo como una manifestación de mi espíritu.

En Medellín el mismo Botero ha colgado veinte obras de artistas de otros lugares del mundo, 102 cuadros suyos y 23 esculturas monumentales. Esta colección proyecta una imagen integral de su trayectoria, pues incluye los años sesenta, setentas y obra reciente.

La exposición de Bogotá tiene otro aire. Sus obras corresponden a los años ochenta y noventa, cien cuadros y 22 esculturas, carro bomba y guerrillero incluidos, una matanza de campesinos, el presidente durmiendo.

Un segundo gran conjunto es arte internacional, su colección privada: el expresionismo dramático de Francis Bacon, pero también Max Beckmann. Los sueños despiertos de Paul Delvaux. Rufino Tamayo: él pinta a partir del vestigio de restos arqueológicos, la flora, el paisaje, todo ese mundo precolombino en una gama de grises con olor a tierra o a fruta fresca como las que vendía su padre en los parques de Ciudad de México. Miguel Barceló. El ruso Marc Chagall, el del plafón de la ópera de París; Auguste Renoir, la exuberancia de las carnaciones de sus desnudos, sus gamas tonales. Pierre Bonard, «el último de los impresionistas», su temática extraordinaria, la musicalidad de sus colores. Wilfrido Lam, el Caribe negro, una mezcla de jungla, trópico, mar, magia, vudú, singularizados en su obra.

Son 85 cuadros con este lenguaje de Botero para millares de niños colombianos que esperan bajo la lluvia, a pesar de la humedad y de la estridencia del conflicto.

La donación de Bogotá fue acogida por el Banco de la República en un complejo de edificaciones que albergan la biblioteca más visitada del mundo, no la más grande. Posee un millón de volúmenes, doce veces menos que la del Congreso de los Estados Unidos.

El último año, la biblioteca Pompidou recibió 2,1 millones de visitantes; la de Moscú y la Nacional de Francia 1,5; la del Congreso de los Estados Unidos y la Pública de Nueva York, 1,2.

A ésta ingresaron 2,7 millones de lectores.

La Biblioteca Luis Ángel Arango —así se llama— está en la zona histórica de la ciudad, un entorno de arquitectura de la colonia española con casas alrededor de patios, arcadas y fuentes centrales.

En una de ellas se halla la colección de artes plásticas del Banco (3.500 obras). El primer cuadro, adquirido hace cuatro décadas, se llama *Rojo y Azul*. Autor, Fernando Botero. Entonces tenía 35 años.

En otra funciona una colección de numismática con diez mil piezas de billetes y monedas colombianas que fueron acuñadas allí mismo, y un poco más allá de la zona, el Museo del Oro, 33 mil piezas precolombinas. Es único en el mundo.

Dentro del conjunto, la donación ocupa doce salas en una cuarta casa del mil setecientos. Botero se encerró en ella y como lo había hecho en Medellín, diseñó el museo, dirigió al equipo de técnicos y trabajadores: *Quiero que estos cuadros sean mostrados así, y aquéllos de tal manera; en este espacio, con este color de muros, con esta iluminación, guardando esta distancia entre uno y otro.* A la vez estableció los términos de un contrato: *Como ha sido costumbre del Banco, no pueden cobrar nunca por la entrada; nada puede salir de aquí....* Metió las manos en la preparación de los colores de los muros, regaló la iluminación, *Yo le debo algo a mi país,* escogió los sistemas de seguridad. Es decir, colgó la exposición, y cuando estuvo colgada, hombre sencillo y de pocas palabras, se quedó mirando a los pintores de brocha gorda que habían trabajado en los muros:

Estoy tan feliz que quedo debiéndole a Colombia.

Índice